Marcel Proust

Cahiers 1 à 75

de la

Bibliothèque nationale de France

sous la direction de
Nathalie Mauriac Dyer

Bibliothèque nationale de France
BREPOLS

Déjà parus dans la collection des « Cahiers 1 à 75 de la Bibliothèque nationale de France » :

Cahier 54, 2008.
Édition établie par Francine Goujon, Nathalie Mauriac Dyer et Chizu Nakano.

Cahier 71, 2009.
Édition établie par Francine Goujon, Shuji Kurokawa, Nathalie Mauriac Dyer et Pierre-Edmond Robert.

Cahier 26, 2010.
Édition établie par Françoise Leriche, Nathalie Mauriac Dyer, Akio Wada et Hidehiko Yuzawa.

Cahier 53, 2012.
Édition établie par Nathalie Mauriac Dyer, Kazuyoshi Yoshikawa et Pyra Wise.

Cahier 44, 2014.
Édition établie par Francine Goujon, Yuji Murakami et Eri Wada.

Cahier 67, 2016.
Édition établie par Simone Delesalle-Rowlson, Francine Goujon et Lydie Rauzier.

Marcel Proust

Cahier 7

Bibliothèque nationale de France
Nouvelles acquisitions françaises 16647

Fac-similé

d'après la numérisation de la Bibliothèque nationale de France

Bibliothèque nationale de France
BREPOLS

D/2021/0095/384

ISBN 978-2-503-57561-2
ISBN Bibliothèque nationale de France: 978-2-7177-2922-1

Printed in the E.U. on acid-free paper

Note des Éditeurs

Cette collection a pour objet l'édition de soixante-quinze cahiers que Marcel Proust a utilisés entre 1908 et 1922, durant l'élaboration du *Contre Sainte-Beuve* puis d'*À la recherche du temps perdu*, cahiers qui appartiennent au fonds Marcel Proust de la Bibliothèque nationale de France (NAF 16641-16702, NAF 18313-18325)[1].

Pour faciliter la consultation, le fac-similé de chaque cahier d'une part, sa transcription, l'apparat critique et le diagramme d'autre part, sont présentés en deux volumes. La pagination arabe du volume de fac-similés et celle du volume de transcription se correspondent. Le fac-similé de chaque cahier peut également être consulté sur le site Gallica de la Bibliothèque nationale de France ; l'URL correspondant est précisé en tête de la transcription.

Les feuillets et fragments de feuillets de ces cahiers qui, pour diverses raisons, figurent aujourd'hui sous d'autres cotes du fonds Marcel Proust sont donnés à leur place originelle s'ils ont été identifiés[2]. Un diagramme fait apparaître, sur des vignettes du fac-similé, les différentes unités textuelles et doit guider, dans les cas complexes, la lecture du manuscrit comme celle de la transcription. L'apparat critique s'efforce de mettre en valeur, autant que possible, les liens entre ces cahiers, les autres documents appartenant au fonds Marcel Proust de la Bibliothèque nationale de France ou détenus ailleurs, et les œuvres de Proust.

Les abréviations utilisées dans ce volume sont expliquées p. VI-IX.

Remerciements

Nous remercions la Bibliothèque nationale de France, les directeurs et conservateurs du département des Manuscrits, ainsi que l'Institut des Textes et Manuscrits modernes (École normale supérieure et CNRS, Paris) et sa direction.

1. D'autres cahiers ont servi pour la mise au net du *Côté de Guermantes II* et celle qui va de *Sodome et Gomorrhe I* à la fin du « Temps retrouvé » (NAF 16705-16707, NAF 16708-16727).
2. Ils sont clairement différenciés par leur présentation.

Description matérielle

Le Cahier 7 a fait l'objet de descriptions succinctes :

– *RTP*, I (1987), p. CLII.

– *Catalogue des Nouvelles acquisitions françaises du département des Manuscrits, N°s 16428-18755*, Bibliothèque nationale de France, 1999, Fonds Marcel Proust, n° XXXVII, p. 23.

Couverture

Cartonnée rigide, recouverte de moleskine noire élimée par endroits, sans marque distinguant les plats supérieur et inférieur (NB : cahier utilisé presque intégralement à l'envers, voir *Utilisation*).
Plats : 221 x 173 mm (quelques taches de cire à cacheter rouge sur le plat supérieur /inférieur selon le sens d'utilisation).
Coins : arrondis.
Tranche : teintée de rouge (passée par endroits).
Contre-plats : gardes collées de vergé rose légèrement chiné, épais et rigide ; non paginées ni foliotées.
Dos toilé noir.

Papier

Vergé écru, lisse, assez opaque, réglé, épaisseur : 0,99 mm, filigrané d'un buste d'homme de profil entouré des inscriptions : « VISCONTI / 1791 / 1853 / A. H. Paris » ; écart entre lignes de chaînette : 26-27 mm.

Pages

71 ff. (vraisemblablement 72 à l'origine ? voir ci-après *Cahiers*).
Dimension : 221 × 173 mm.
Coins : arrondis.
Réglure : gris-violet, 24 lignes par page ; marges latérales réglées.
Aspect du trait de marge : simple, rouge, sur toute la hauteur de la page.
Dimension moyenne des marges : latérale, 35 mm (à droite dans le sens d'utilisation) ; supérieure, 23 mm (inférieure dans le sens d'utilisation) ; inférieure, 17 mm (supérieure dans le sens d'utilisation).
Dimension de l'interligne : 8 mm.

Foliotation

Foliotation au composteur après l'entrée du cahier à la Bibliothèque nationale du f° 1 au f° 71.
Numérotation allographe (Bernard de Fallois ?) au crayon au coin supérieur droit, de « 1 » à « 91 », alternant foliotation (sur les f°s 1-17 ; 21-24 ; 35-49 ; 60-71) et pagination (sur les f°s 18-20 ; 25-34 ; 50-59), avec plusieurs versos utilisés non paginés (f°s 40 v°, 52 v°, 64 v°, 69 v°, 70 v°).
Pages vierges : f°s 1 v°-17 v°, 20 v°-24 v°, 35 v°-39 v°, 41 v°-49 v°, 55 v°, 60 v°-63 v°, 65 v°-68 v°, 71 v°.

Restauration
Bords cassants, petites déchirures, coins cornés restaurés (surtout sur les feuillets placés en début et fin de cahiers de brochage) et utilisation de mousseline (f°s 24, 35, 36, 47, 60).

Cahiers
Le Cahier 7 compte six cahiers de brochage de 6 bifeuillets chacun, sauf le premier cahier qui en comporte 5, suivis d'un feuillet supplémentaire, dont l'item correspondant semble manquer (ne subsiste toutefois aucun talon apparent).

Utilisation
Cahier utilisé intégralement à l'envers, à partir de la fin ; feuillets employés alternativement recto seul ou recto-verso, les versos tantôt à la suite, tantôt réservés à des ajouts ou corrections.
Encre brune, nombreuses ratures et taches, reports d'encre sur feuillets en vis-à-vis. L'écriture couvre aussi de façon continue, sans le distinguer du corps de la page, l'espace des marges latérales, qui est réglé et se trouve placé à droite.

Feuillets et fragments de feuillets découpés, arrachés ou tombés
Probablement un feuillet manquant (voir *Cahiers*), mais talon non visible.

Papiers collés et paperoles
Néant.

Dessins
Signes de renvois divers (croix simples ; lettre grecque « thêta » aux f°s 70 v°-71 r°) ; dessins, les deux derniers de dimensions minuscules : f° 1 r° (cerfs-volants ? toiles d'araignée ?), f° 52 v° (personnage ? dans un encadrement rectangulaire) et f° 71 r° (géométrique, au bord externe à mi-hauteur).

Remarques sur le microfilm (cote MF 537)
Les plats n'ont pas été microfilmés.

Numérisation
Bibliothèque nationale de France, 2008.

Claire Bustarret, Nathalie Mauriac Dyer

Présentation du fac-similé du cahier 7

Proust a utilisé le Cahier 7 à partir de la fin, à l'envers, et il a été folioté par la Bibliothèque nationale conformément à cet usage. On trouvera donc d'abord le plat de couverture inférieur, et ainsi de suite.

Le Cahier 7 est intégralement reproduit, dans son format original. Les transcriptions correspondantes se trouvent sous la même pagination dans le volume d'édition.

FAC-SIMILÉ DU CAHIER 7

FR
NOUV. ACQ.
16647

1

~~Je ne souviens q[u']après~~

Monsieur le Curé qu'est-ce que on m'a dit qu'il y avait un homme sur une échelle à peindre dans l'église.
Mon Dieu Madame j'avais un ordre de l'architecte diocésain, je ne pouvais pas l'en empêcher. Mais Monsieur le Curé qu'est-ce qu'il peut y avoir à peindre dans l'église. Mon Dieu Madame cet ~~peintre~~ artiste qui n'est pas de nos régions paraît intéressé par tout ce qui touche cette localité. Car il a ~~fait~~ m'a-t-on dit plusieurs vues de la gracieuse campagne aux pris dessins et alentours de Pont-vieux.

Monsieur le Curé qu'est-ce qu'on m'a dit qu'il y a montait cet après-midi un homme sur une échelle qui peint des vues de votre église. Mais qu'est-ce que le monde d'aujourd'hui vient donc chercher mon Dieu, comme si une église était un endroit pour peindre. Mais qu'est-ce qu'il y trouve donc de joli dans notre église qui est si irrégulière qu'il paraît que celle de Méséglise à côté où il n'y a que des fermiers et un vrai palais. "Eh! Madame Charles je voudrais que vous la voyiez et de magnifiques vitraux modernes. Ah!  Combray n'a pas été favorisé par Monseigneur. Je ne pouvais pas refuser ~~à cet artiste~~ l'entrée de mon église à cet artiste qui a une permission en règle de l'architecte du diocèse et de Monseigneur, mais j'espère qu'en venant ~~peindre~~ à faire des tableaux ~~des~~ d'après nos vitraux, il se convaincra  en copiant ceux qui valent [illegible] l'église des [illegible]. Cet artiste qui semble un connaisseur admire beaucoup ~~[illegible]~~ l'affreux vitrail tout noir qui est au-des[sus]

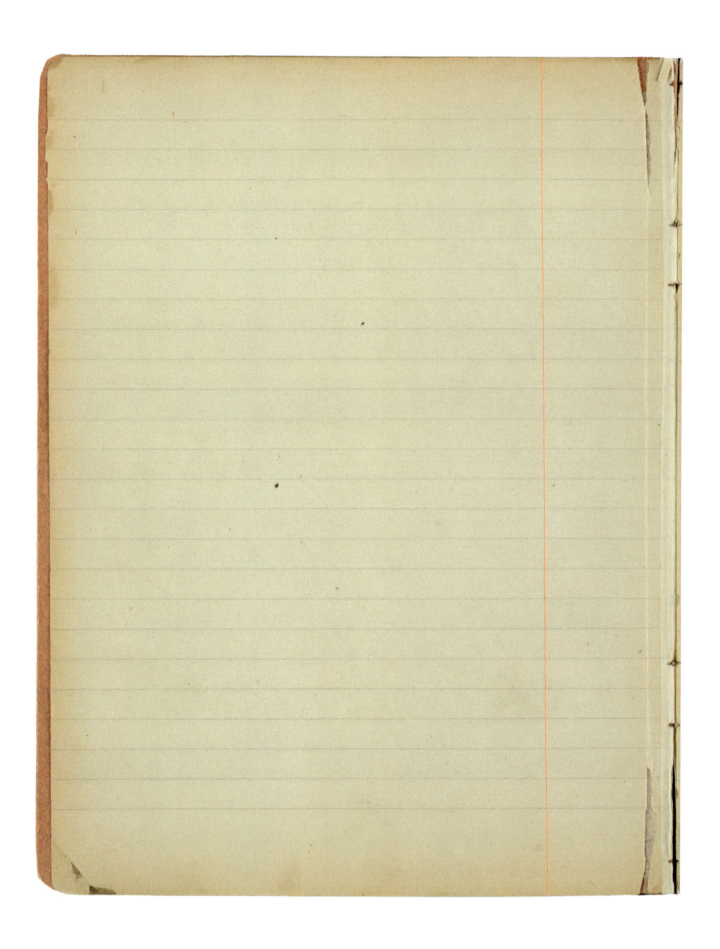

2

Dernière
~~Je le chaîne~~ autel et que j'ai déjà tous ~~les prêtres qui~~ les
mon
messieurs qui n'ont pas l'idée ont demandé de remplacement.
C'est pourtant le portrait de ~~Charles~~ Gilbert le Mauvais
sire de Guermantes recevant de Saint ~~Gilbert~~ Hilaire ~~de~~ pour avoir
l'Archevêque
fait ~~raser~~ ~~l'église~~ l'abbaye de Guermantes et mis à mort
mettre le feu à l'abbaye
première
cent vingt moines. Mon Dieu madame Charles, je le sais bien
moi je le sais bien. ~~Mais je ne vois pas pourquoi on Saint Hi~~
ils ont fait une bien vilaine tête à St Hilaire et [illegible]
vitrail de toute mon église bien jolie, madame Charles.
~~Je ne vois pas pourquoi on Saint Hilaire~~ Le vitrail de M.
[illegible]
Goupil a fait un St Hilaire magnifique que la Chapelle
qui est fort habile et a été chargé de [illegible]
de mon église. [illegible] pourquoi
Combray, patrie de St Hilaire et qui possède de son [illegible]
le [illegible] ne soit pas aussi [illegible] que mon église. [illegible]
ne vois pas pourquoi je suis forcé de dire la messe devant ce
Gilbert le Mauvais qui [illegible] n'a [illegible] la chronique. Vous
[illegible]
me direz que tout cela est bien vieux madame Charles
pour de voir. Mais je ne lui en veux pas moi [illegible]
Saint Hilaire lui a pardonné qu'il aille en paradis.
Mais ce vitrail [illegible] à tous ces vieux à Guermantes
que chez nous, quoiqu'il soit encore vieux en poussière.
Ah ! les [illegible] qui ont abîmé la statue de Saint
Hilaire savaient bien ce qu'ils faisaient quand ils [illegible]
[illegible]

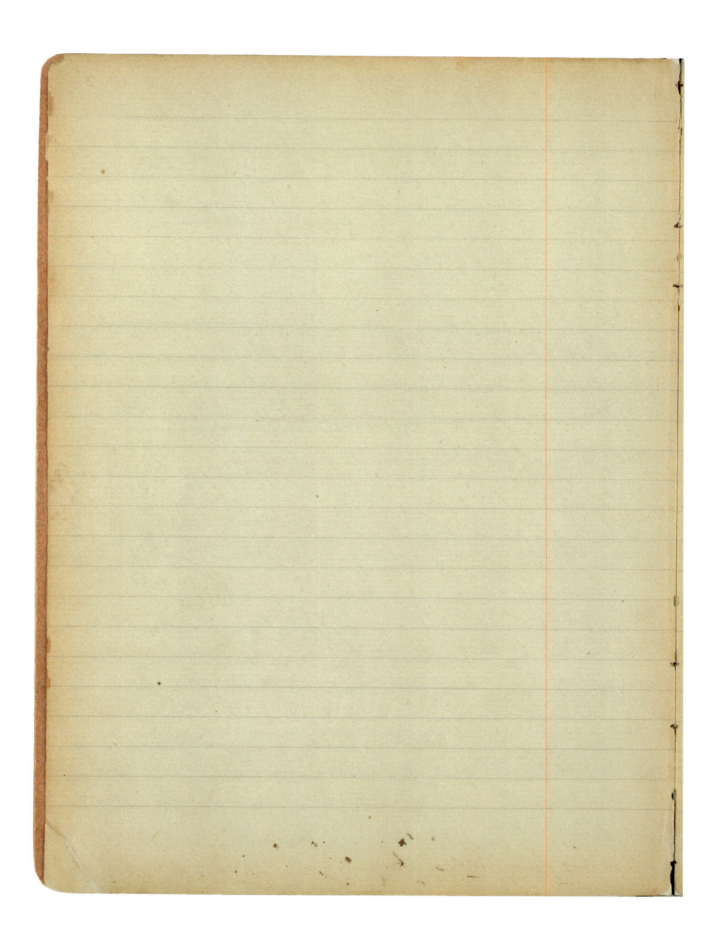

3

M. Goupil a bien dû être ému s'il a été retenu chez l'
abside en brisant la verrière de Gilbert le Mauvais. Je crois
que je lui aurais pardonné ~~le~~ vol des vases sacrés si j'avais été
~~intéressé~~ à cette maudite verrière. Voyez, vous Madame Charles ~~[illegible]~~
~~et~~ le seigneur de Guermantes n'a pas ~~[illegible]~~ porté Rohan à Combray.
Il a un porche noir, sale, dont on ne voudrait pas pour une
église du plus pauvre village. Elle fait refaire à neuf toutes les porches de
églises ~~de~~ entre Dreux et les Andelys, dix de pays certes
moins considérables que Combray, et on ne touche pas à mon
porche à cause de cette excellente statue de la Vierge qui
dit-on couronne Philibert le beau, premier prince de
Guermantes. Personne n'a fait rien puisqu'on ne voit plus que
la Vierge et que l'autre statue a été brisée mais c'est assez
pour qu'on ne me refasse pas mon porche. On ne peut marcher
dans mon église sans manquer de tomber tant que ses n'a pas une
dalle ~~plus haute que l'autre~~ qui soit à la même hauteur.
Mais comme ce sont les pierres tombales des abbés de
Guermantes on ne m'a fait pas le dallage de mon église. Si
encore leurs corps étaient là à ces saints hommes, je ne
dirais rien. Mais il est bien probable qu'ils furent enterrés
à Guermantes où pendant ont les dalles, et on sait bien
que ceux à les conserver seraient mieux à leur place.
~~Si je veux faire boucher la porte de la crypte qui ne~~
~~sert à rien et où~~ Mais jusqu'à un presbytère, Madame Charles,
où je ne peux pas faire enlever ces méchants piliers qui
font ~~tant~~ obscurité dans la partie à droite de mon presbytère

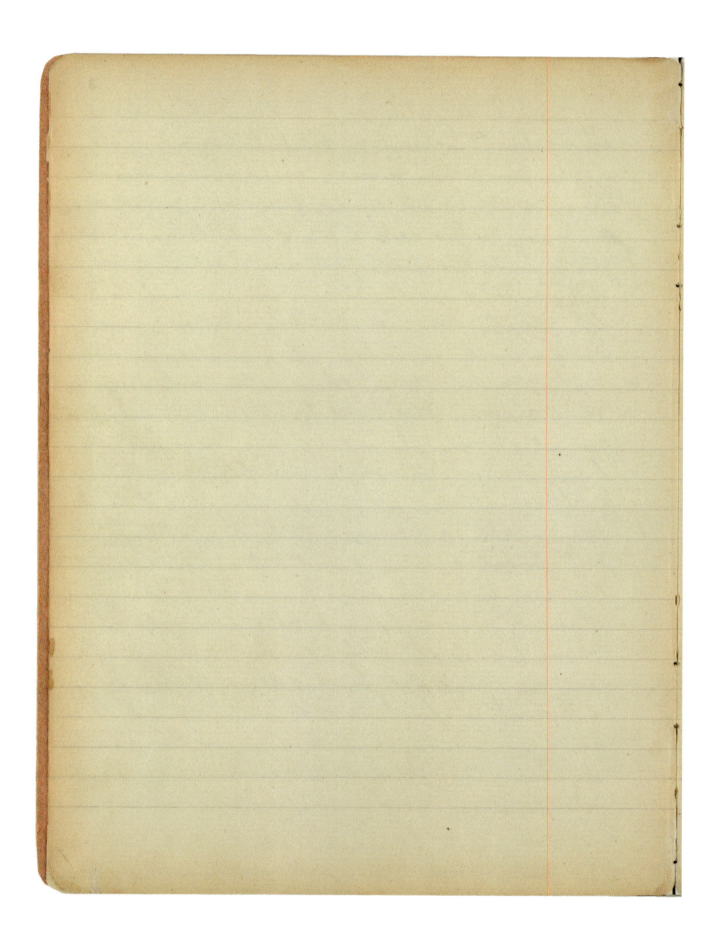

4 4

presque le doute les restes de la porte que le premier sire de Guermantes, Clodoald, avait fait construire pour défendre Combray contre Rollon. Mais puisque nous ne sommes plus exposés aux invasions ! Et d'ailleurs je ne pense que ces pierres nous protégeraient beaucoup. Enfin ce n'est pas maintenant que ces petits vitraux viennent pendant des mois d'après le portrait de Gilbert le mauvais que nous attendrons un remplacement. Il ne compte plus que des accidents pendant Charles. Je ne vois pas... de le dire à l'artiste "Payez-le bien, si c'est votre plaisir. Mais si vous les cassez, ne comptez pas que je ne vous en réclamerai pas les morceaux."

M. le Curé venait quelquefois, mais ma tante Léonie le plaignait qu'il la fatiguait. Elle ne lui avait pas demandé une explication qu'elle le regrettait aussitôt à cause des développements infinis où il partait. "Monsieur le Curé qu'est-ce qu'on me dit qu'il y a eu tantôt un homme sur une échelle qui faisait un tableau de votre église" "Et je sais bien ce n'est pas qu'à la St Jean Madame, répondait le curé, pas le jour de la Fête Dieu pourtant j'espère. Peut-être on voudra bien me laisser mon église en paix là. Mais jusque là je suis bien forcé il y a une autorisation de Monseigneur et de l'architecte de Rouen." "Mais Monsieur le curé qu'est-ce que le monde d'aujourd'hui va donc chercher ! Faire des tableaux.

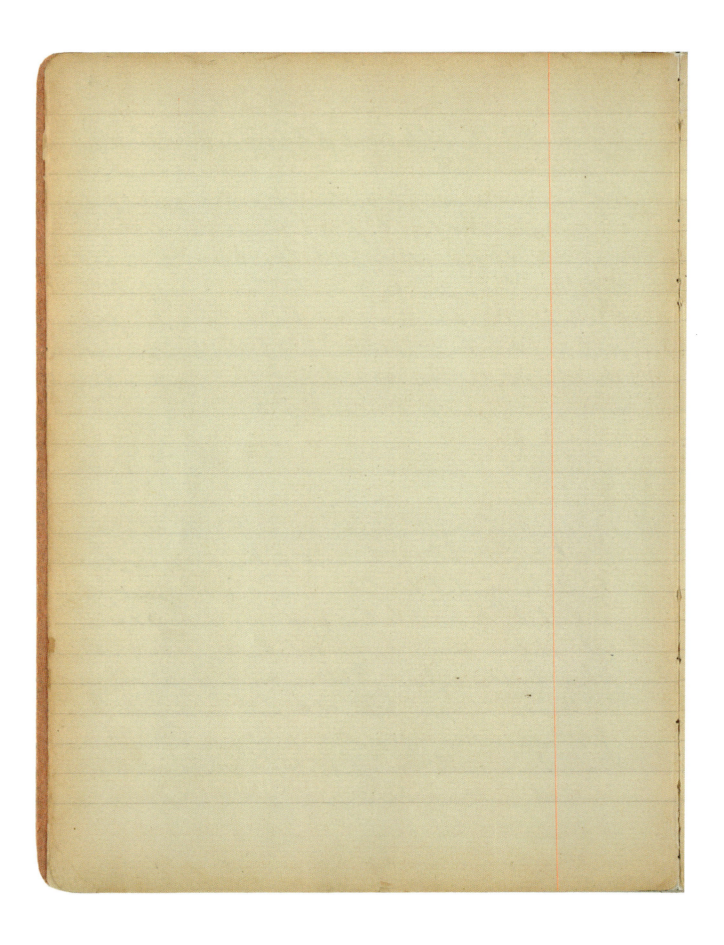

dans une église." "Et d'après quoi exécute-
t-il du travail? D'après le grand vitrail noir que j'ai
derrière mon autel" "Ce qu'il y a de plus vilain dans
l'église!" "Mon Dieu Madame Charles, je ne dirai pas ce qu'
il y a de plus vilain, car elle n'est pas bien belle notre pauvre
église, la plus vieille de tout le diocèse, et
la seule qu'on ne restaure pas! Mais enfin comme je le lui
disais à cet artiste qu'est-ce que vous lui trouvez donc
d'extraordinaire à ce vitrail. Qu'il est un peu plus sombre
que les autres. Franchement Madame Charles, croyez-vous que c'
est bien beau cette couleur rouge, et rouge noir comme,
comme le sang de ces excellents poulets que Françoise nous
accommode si bien ajouta-t-il avec un regard attendri à Françoise
quand elle l'a laissé pendant une heure dans un bol. N'est-ce
pas Françoise. Cela fait sur tout le bas de l'autel un
faux jour qui est bien préjudiciable à mes pauvres yeux, et
quand je descends les marches de l'autel elles sont toutes
tachées des reflets de ce fameux vitrail. Je ne sais jamais
où je pose le pied et il me semble qu'on a ensanglanté mon
église comme au temps de la grande Révolution. Quand je
pense qu'à Hussigny église qui est une méchante paroisse de fermiers
ils ont un vitrail de Sainte Claire par M. Gaspil,
le neveu de notre important notaire, qui a travaillé pour
plusieurs châtelains de la localité, et même pour divers gros
négociants de Paris, celui-là même qui nous avait fait
cette superbe entrée de Napoléon III à Evreux qui

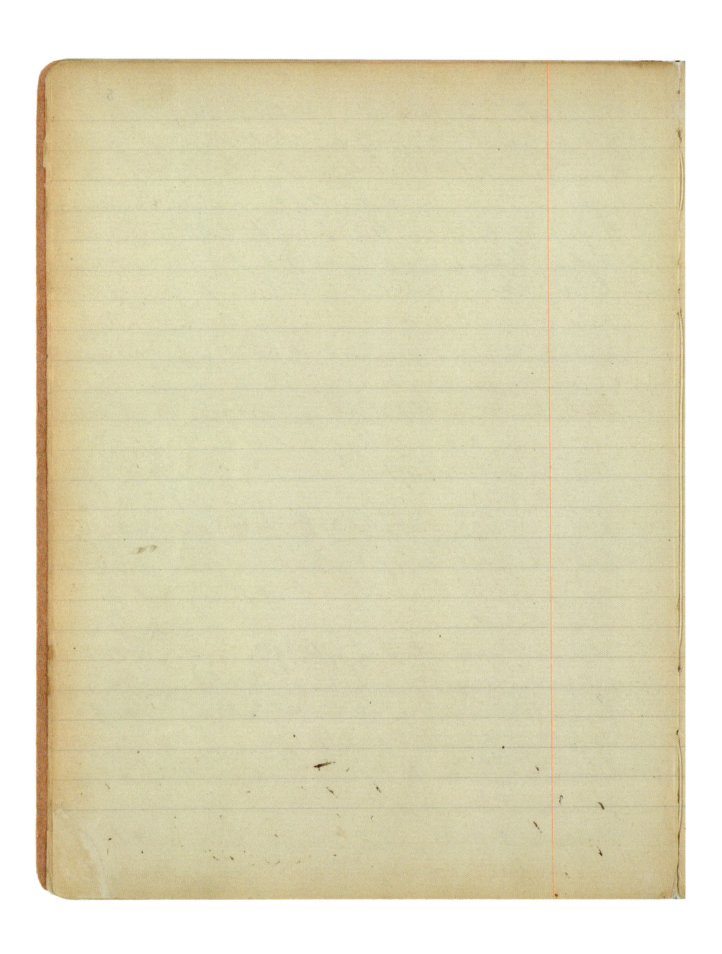

6

a été brisé ~~fenêtres~~ ~~[illegible]~~ quand on a rebâti l'église il y a quinze ans. Ah ! ils savaient ce qu'ils faisaient les malandrins quand ils avaient ~~[illegible]~~ [choisi] ~~choisi~~ cette saison, pour s'introduire dans l'église. Il n'y avait [de peur] pas de danger qu'ils entrent pour l'autel et qu'ils ne s'élevassent [illegible] de ce vitrail. Je crois que dans ma joie je lui aurais pardonné le vol des vases sacrés. Ah ! je lui dis c'est artiste pardi : ~~[illegible]~~ Monsieur le curé [illegible] le vitrail si c'est votre plaisir, mais à vous le conseil(?), je vous permets de ne pas vous en redemander les morceaux.

~~Mais~~ Ma tête qui commençait à se fatiguer disait pour interrompre. « Je vois avec que si vous demandiez à Monseigneur une sorcière nouvelle il ne pourrait pas vous la refuser » Abbé(?)

comptez-y Madame Charles. C'est Monseigneur qui le premier a si malheureusement attiré l'attention sur ce méchant vitrail en montrant qu'il représentait St Hilaire donnant l'absolution à Gilbert le Mauvais, sire de Guermantes après que celui-ci eut fait brûler la première église, et mettre à mort le neveu de Charles le Chauve abbé de Guermantes. Comme si le souvenir de Gilbert le Mauvais était bien nécessaire à garder à Combray, où il rappelle toutes les atrocités que lui prête la chronique. Au moins avait-il le mérite de ~~[illegible]~~ remplacer les vieilles églises par de neuves qu'il faisait bâtir et qui étaient belles pour le temps puisqu'elles lui valaient le pardon de St Hilaire. Mais c'était au XIe siècle Madame

7

Charles et depuis ce temps là cette église n'a pas été refaite.
Je crois que de Dreux aux Andelys il n'y a pas une paroisse plus
misérable, plus noire, plus ~~couverte~~ tachée de moisissures que
la nôtre. Est-ce assez vieux, est-ce assez carré cette pauvre
Vierge qui n'a plus de bas, ~~les~~ toutes les niches où il y a à peine
les jambes des Comtes de Guermantes qui ont été brisés dit-on au
temps de la Grande Révolution. ~~[illegible]~~ Hé bien on ne touche pas
tout cela. Pensez que dans cette ~~église~~ où ~~[illegible]~~ tous les vitraux violets rouges
noirs, bleus noirs, gris sale, ne donnent pas de lumière, il n'y
a pas deux pas à faire de plain pied, toute une dalle est plus
haute, une plus basse. Mais il est impossible d'y toucher ce
sont les pierres tombales des abbés de Guermantes. Ah ! le voisinage
de Guermantes n'a pas porté bonheur à Combray, disait Mme Charles,
et on devrait bien envoyer tous les Gilbert le Mauvais, les dalles, les [illegible]
et tout le reste, et nous faire une église neuve. Mais pensez qu'
on ne peut même pas agrandir la place où ~~le café~~ ~~[illegible]~~ ~~de~~ Piperau
voudrait agrandir son café et faire une terrasse de billard
qui ne rougirait pas d'Illiers [illegible] à [illegible] les [illegible]
parce que la maison de l'Evêché est bâtie sur les cryptes de l'
ancienne église dont il reste un vieil arc tout de [illegible] avec ces arca-
des qui entrent dans le mur. Il avait déjà fait peindre sur la
devanture Café Billard en lettres dorées. Il se tailla effrontément
cela.* ~~[illegible]~~ De l'autre côté il ne peut s'agrandir puisque c'est le magasin
de M. notre oncle. Mais Madame Charles jusqu'au jardin de [illegible]

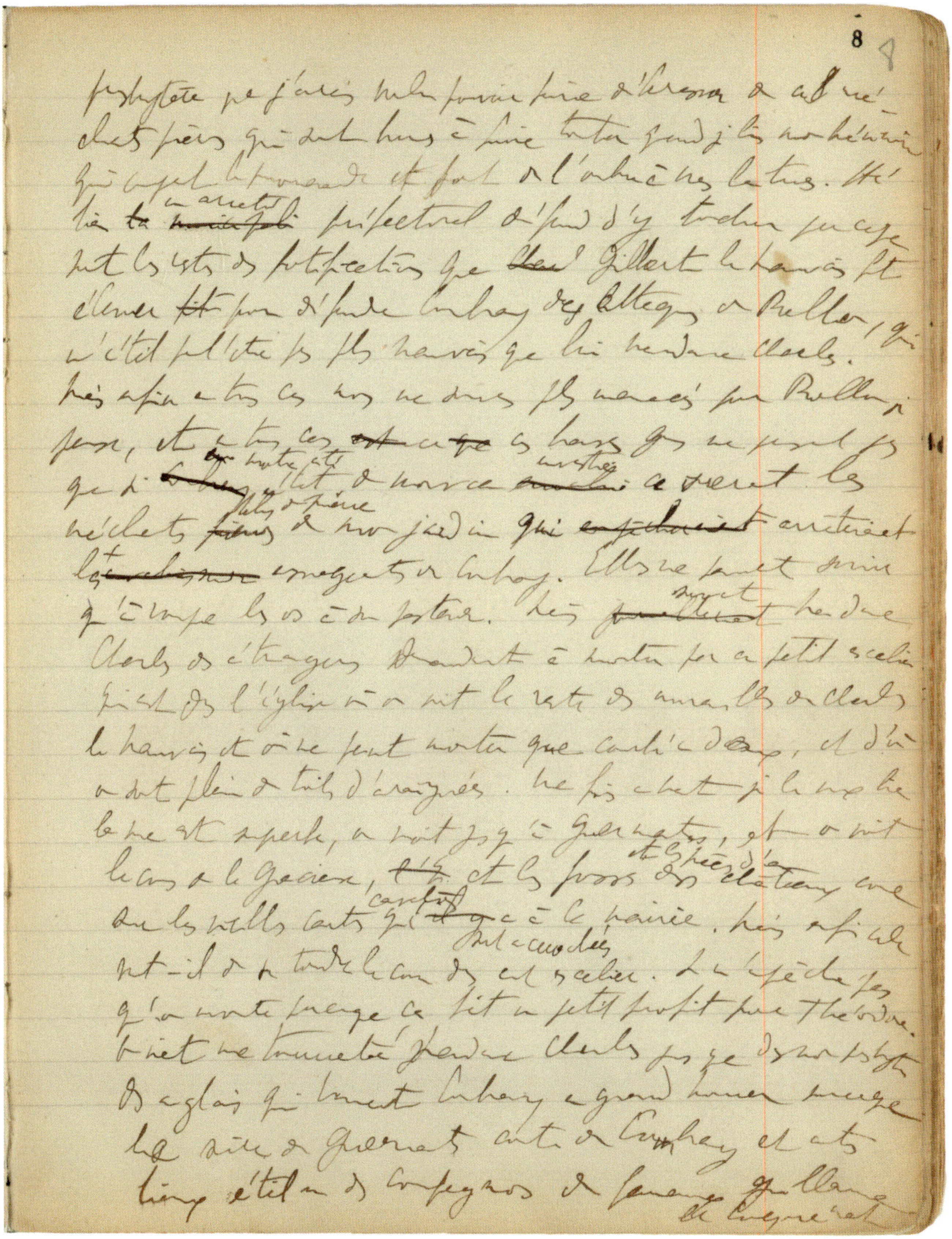

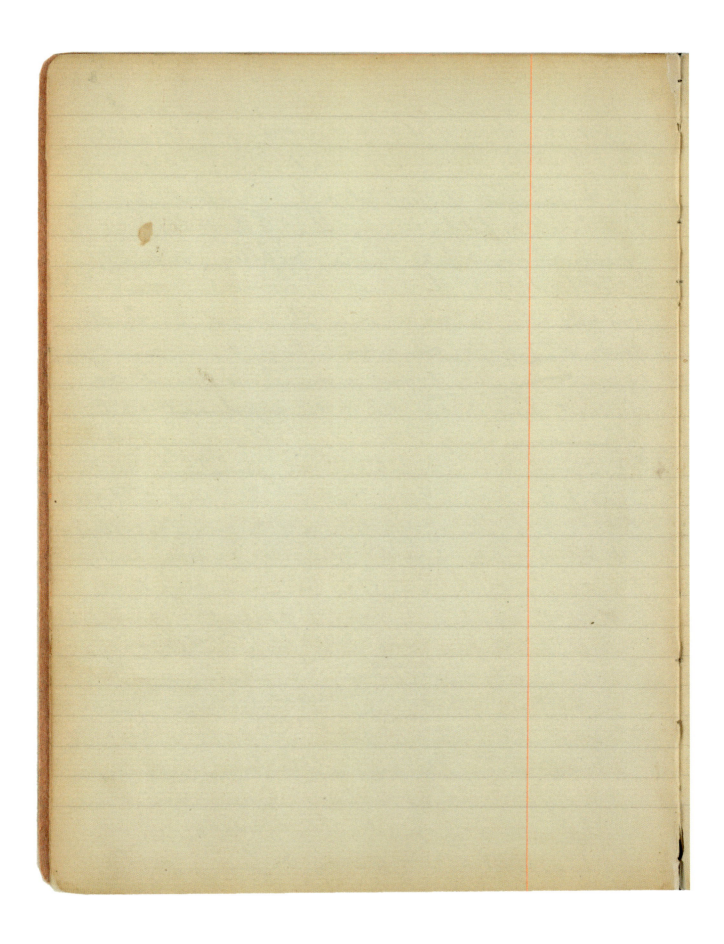

9

(le curé prononçait toujours Guilfôme (j'ai [illegible]
l') je n'ai jamais su pourquoi) me demandait à voir
les vitraux [illegible] qu'il y a dans notre petite église" [illegible]
[illegible] ce sont seulement les têtes de pierre. Les
[illegible] les [illegible] que ~~[illegible]~~ ~~Charles~~
~~Charles~~ les enfants de Clovis II ayant été [illegible] des
[illegible] dans le [illegible], a fondé des abbés [illegible]
dépendait Guermantes [illegible] fut chargé ~~[illegible]~~ et je
lui raconte une petite histoire. Il y en a qui demandait à
emporter une pierre. Ah ! si vous pouviez tout emporter
[illegible] ! Pour en revenir à cet artiste qui fait notre
[illegible] il m'a demandé si je pensais qu'il pourrait
quand il aurait fini ici transporter ses pinceaux à Guermantes
où il y a une célèbre collection de vitraux [illegible] ceux-ci
et les tombeaux des cinquante neuf abbés de Guermantes. Mais
je ne pense pas que la Comtesse qui est si fière qu'elle n'a pas
daigné recevoir un prince de Condé [illegible] ~~[illegible]~~
~~[illegible]~~ un artiste [illegible] ou ~~si~~ il fut [illegible]
à Charlemagne pour pouvoir entrer. ~~Elle [illegible]~~ Ah !
Madame Charles il y a des gens qui se croient toujours au temps
ou dans le [illegible] quand ~~[illegible]~~ Aliénor de Guermantes faisait
~~[illegible]~~ d'après [illegible] jour [illegible] et jeter les
têtes dans ces fameux fossés de Guermantes qu'on ne trouve
pas assez noble pour me faire pencher.

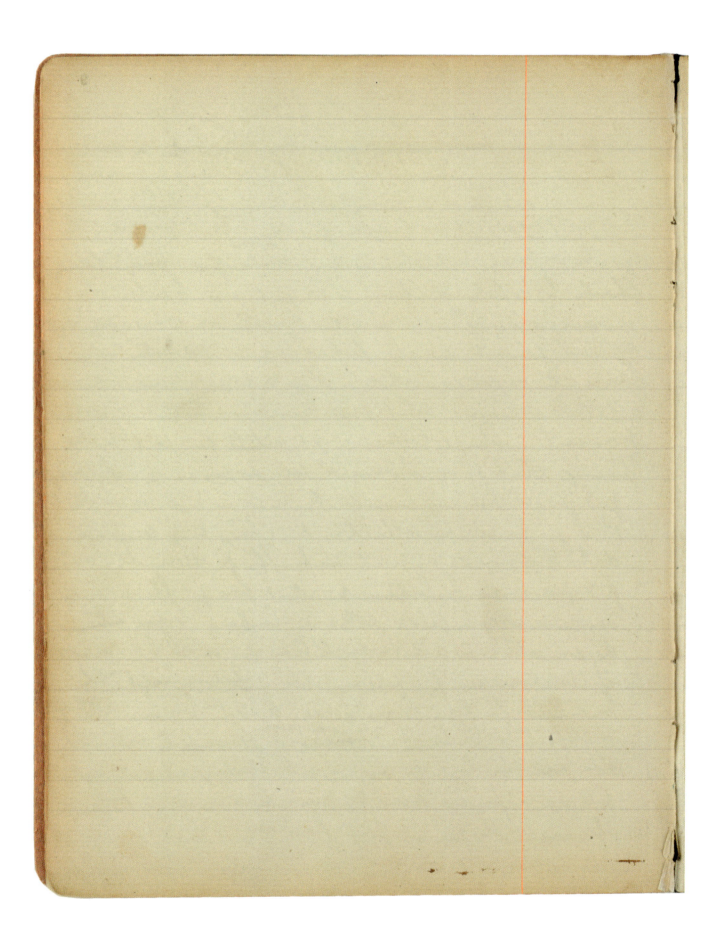

1°

10

~~Le~~ Ils ne ~~peuvent rien~~ sont plus un nom ; ils ~~ne peuvent~~ ~~rendre~~ nous apprendront précisément ~~au sens~~ moins que ~~de~~ ce que nous rêvions d'eux. Moins ? Et aussi plus, peut-être. Il en est d'un monument comme d'une personne. Il s'impose à nous par un signe qui a ~~forcément~~ nécessairement échappé aux descriptions qu'on nous en a données. Comme ce sera le plissement de sa peau quand il rit, ou ce qu'il y a d'un peu niais dans la bouche, le nez trop gros ou la chute des épaules qui nous frappera dans l'aspect premier d'un personnage célèbre dont on nous a parlé, de même ~~chaque œuvre d'art a été~~ ~~aussi~~ quand nous verrons pour la 1re fois St Marc de Venise, le monument nous paraîtra surtout bas et en largeur avec des mâts de fête comme un palais d'exposition, ou à Jumièges ~~dans la cour~~, ces géantes tours de cathédrale dans la loge du concierge d'une petite propriété des environs de Rouen, ~~[illegible]~~ comme à Saint Wandrille cette reliure rococo d'un ~~le~~ missel ~~roman gothique~~ roman comme dans un opéra de Rameau cette ~~espèce de décor~~ de lieu galant d'un drame antique. Les choses sont moins belles que le rêve que nous avons d'elles, mais plus particulières que la notion abstraite qu'on en a. Te ~~[illegible]~~ souviens-tu comme tu ~~étais heureux~~ les lettres reçues avec plaisir quelques cartes à [illegible] que je t'envoyais de [illegible] [illegible] depuis tu m'as demandé, racontant [illegible] plaisir. Mais les aspects n'avaient avoir l'air d'avoir eu du plaisir de ce que leur aspect ne les changeait pas. ~~Ils~~ Et l'assurance qu'ils n'avaient plus non plus avoir l'air d'avoir à se décharger parce que leurs parents les plaignaient trop. Je ne t'ai jamais ~~[illegible]~~ racontés pourtant. ~~[illegible]~~ Tu me demandais pourquoi quand [illegible]

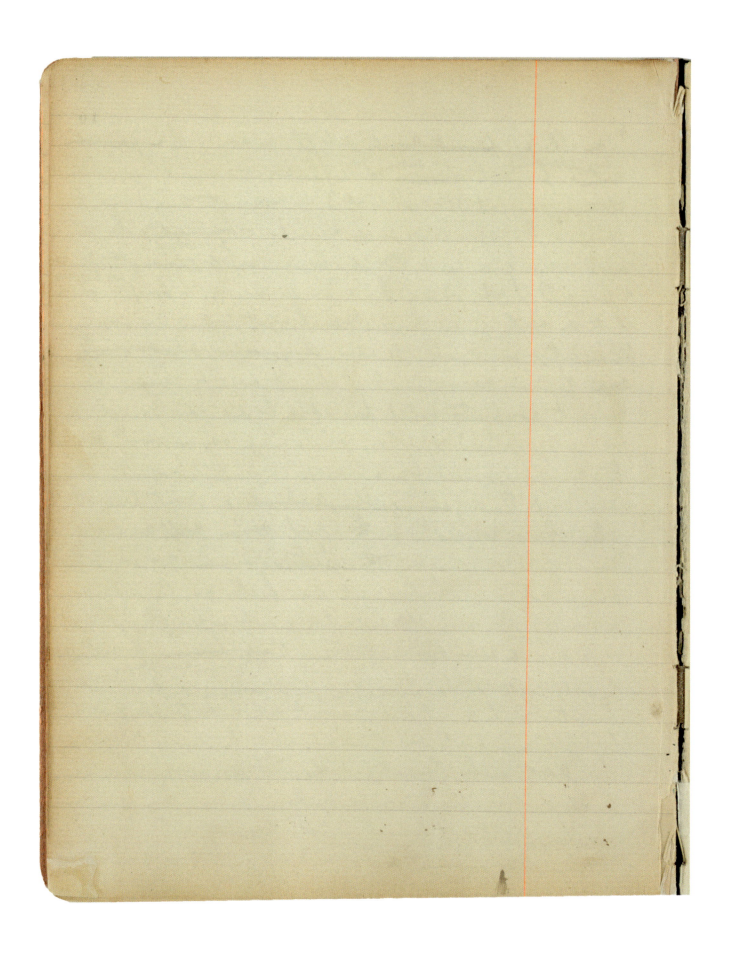

ce que j'ai vu, ce qui te semblera peut-être un peu plaisant : a été une déception pour moi Guermantes, ne l'a pas. Cela a été bien ~~Guermantes a été une d'[illegible]~~. ~~Guermantes a été certainement [illegible]~~ ~~Voici ce à Guermantes ce qui est beau~~ Ce que je cherchais à Guermantes je ne l'y ai pas trouvé. Mais j'y ai trouvé autre chose. Ce qui est beau à Guermantes c'est que les siècles ~~morts~~ qui ne sont plus essayent d'être encore, le temps y a pris la forme de l'espace mais on le reconnaît bien. ~~Et le temps a [illegible] grande dans la crypte de l'église~~ Quand on entre dans l'église à gauche il y a ~~des~~ trois ou quatre arches rondes qui ne ressemblent pas aux arceaux ogivaux de tout ce qui disparaissent et engagées dans la pierre, ~~dans le~~ de la muraille, dans la construction plus nouvelle où on les a engagées. C'est le ~~XIIe siècle~~ XIe siècle, avec ses lourdes épaules rondes qui passe là furtivement encore, qu'on a muré, et qui regarde étonné le treizième siècle, et le quinzième qui se mettent devant lui qui le cachent en hâte et qui nous sourient. Mais il reparaît plus bas, plus librement dans l'ombre de la crypte, où entre deux piliers, comme la tache de sang des meurtres anciens que le prince commit sur les enfants de Clotaire ~~le~~ deux lourds anneaux bourbons du temps de Chilpéric. On est ému que c'est dans qu'on traverse du temps, comme quand un souvenir ancien nous revient à l'esprit. Ce n'est plus dans la mémoire de notre vie mais dans celle des siècles. Quand on arrive ~~au château~~ dans la salle du chapitre qui donne entrée au château on marche sur les tombes des abbés qui gouvernèrent le monastère

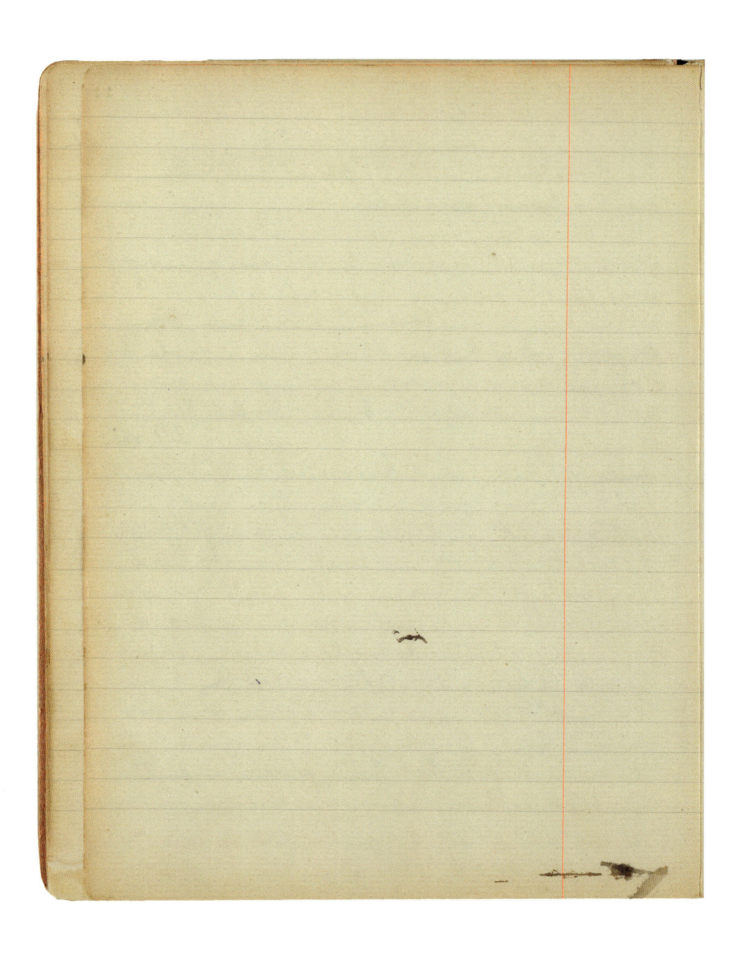

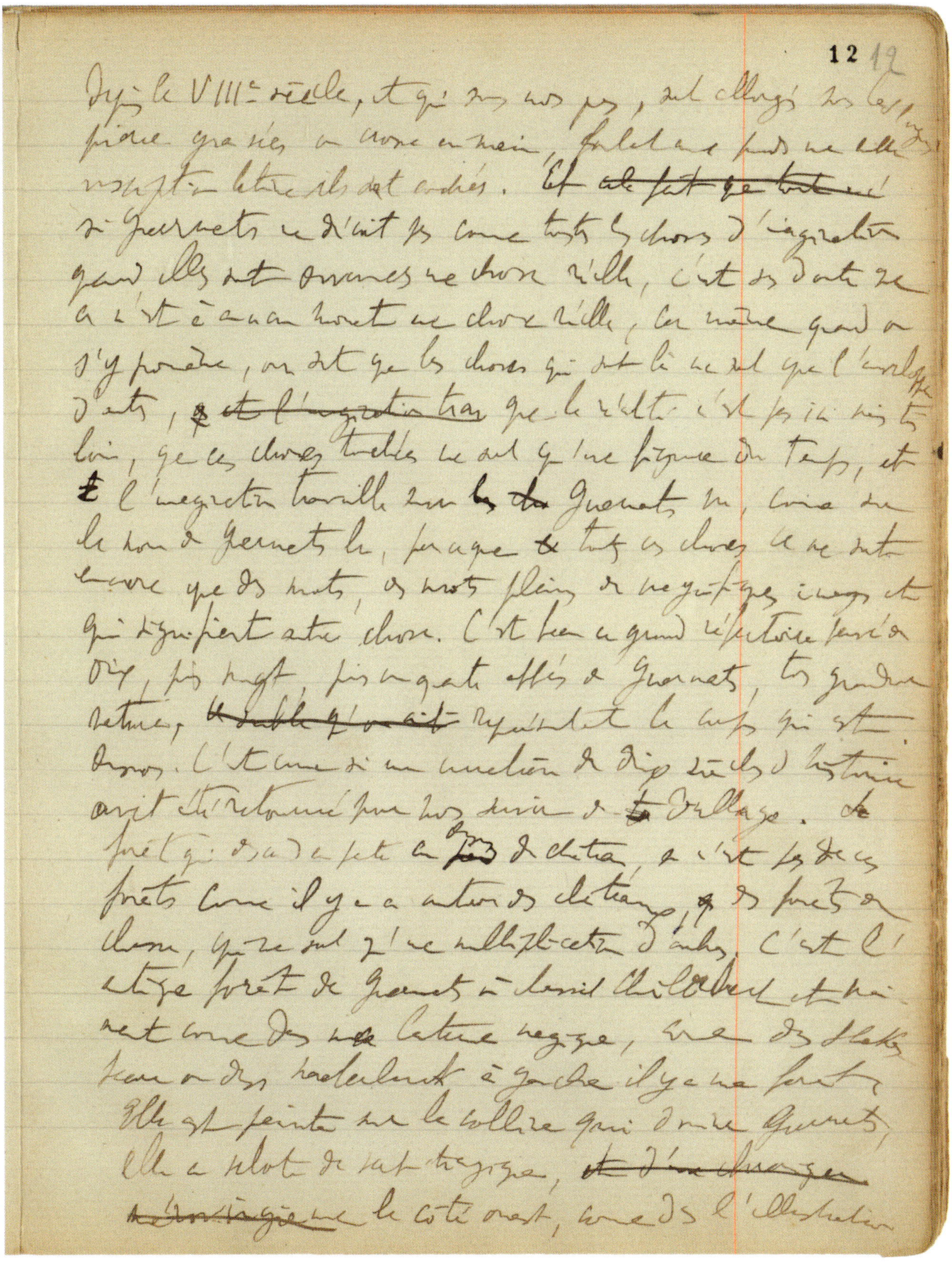

12

depuis le VIIIe siècle, et qui sous nos pas, sont allongés sous les [illegible]
pierres gravées en [illegible] en main, [illegible]
[illegible] ils sont [illegible]. ~~Et cela fait que [illegible]~~
si Guermantes ne s'était pas comme toutes les choses d'imagination
quand elles sont devenues une chose réelle, c'est sans doute que
ce n'est à aucun moment une chose réelle, car même quand on
s'y promène, on sent que les choses qui sont là ne sont que l'enveloppe
d'autres, ~~et l'imagination trav~~ que la réalité n'est pas ici mais très
loin, que ces choses tactiles ne sont qu'une figure du temps, et
l'imagination travaille sur ~~les~~ ~~dix~~ Guermantes lui, comme sur
le nom de Guermantes lui, parce que toutes ces choses là ne sont
encore que des mots, des mots pleins de magnifiques images et
qui signifient autre chose. C'est bien un grand répertoire [illegible]
[illegible], puis [illegible], puis [illegible] appelés de Guermantes, très grandes
[illegible], ~~[illegible]~~ représentant le temps qui est
dessous. C'est comme si une [illegible] de dix siècles d'histoire
avait été retournée pour nous servir de ~~[illegible]~~ village. La
forêt qui descend en pente au [illegible] du château, ce n'est pas de ces
forêts comme il y en a autour des châteaux, ~~et~~ des forêts en
[illegible], qui ne sont qu'une multiplication d'arbres. C'est l'
antique forêt de Guermantes où [illegible] Childebert et [illegible]
[illegible] comme dans ~~une~~ lecture magique, comme des [illegible]
[illegible] ou des [illegible] à gauche il y a une forêt
Elle est peinte sur la colline qui domine Guermantes,
elle a [illegible] de [illegible], ~~et d'un chasseur~~
~~[illegible]~~ sur le côté ouest, comme dans l'illustration

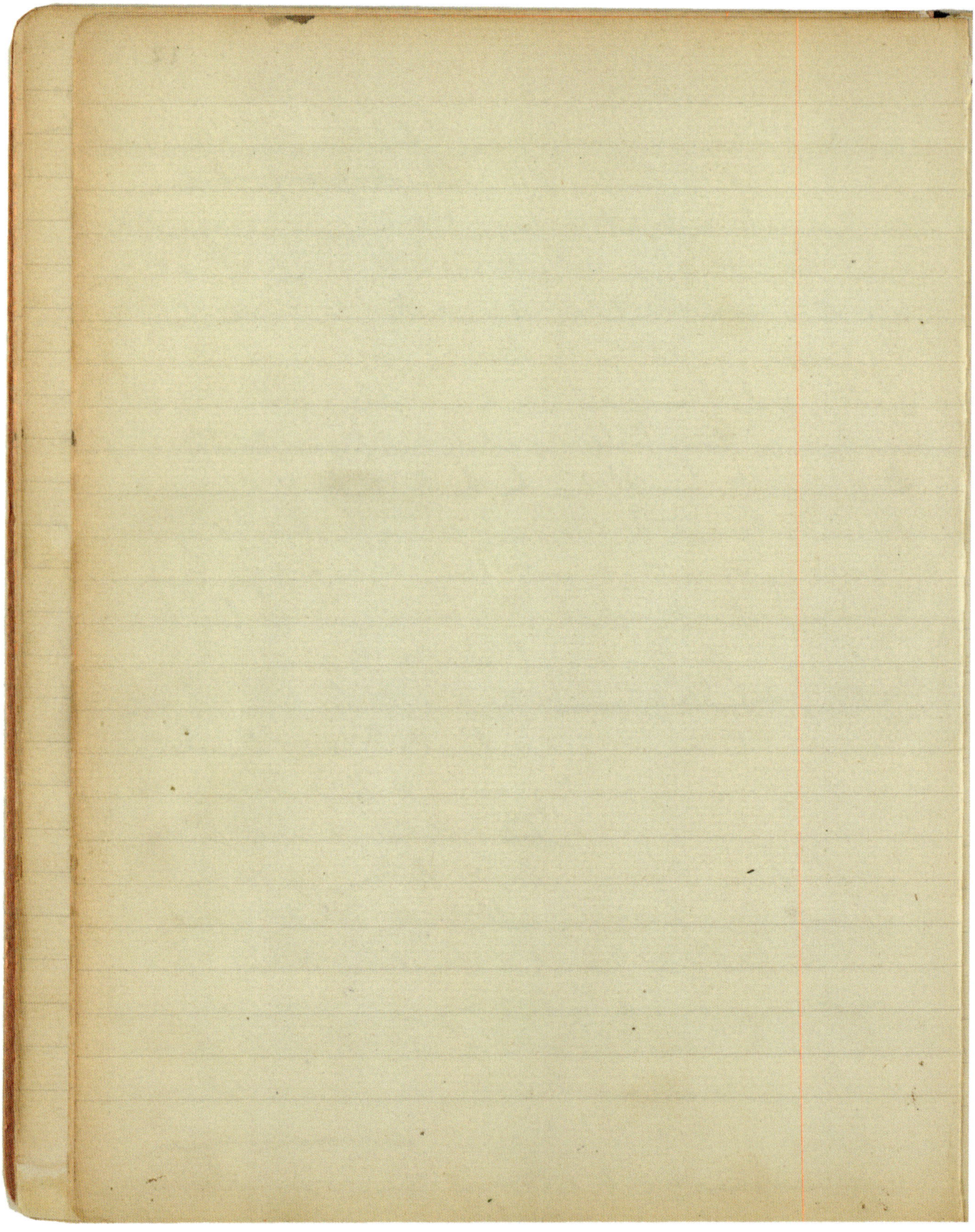

13 15

enluminée d'une chronique mérovingienne. Elle est grâce
à cette perspective quoique profonde, d'[illegible]. Elle est la forêt
qui est "à gauche" dans le drame. Et de l'autre côté, le
fleuve où furent déposés les [illegible] de [illegible]. Et les
tours du château sont encore je ne te dis pas de ce temps-là mais
Dans ce temps-là. C'est ce qui me frappait en les regardant.
On dit toujours que les vieilles choses ont un lien des choses
depuis et que c'est le recul de leur création. Rien n'est plus
faux. Regarde les tours de Guermantes, elles voient encore
la chevauchée de la reine Mathilde, leur consécration
par Charles le Mauvais. Elles n'ont plus rien vu depuis.
L'instant où naissent les choses est fixé par la pensée qui
les reflète. A ce moment-là elles ont pensé, elles reçoivent
leur forme. Et leur forme ~~éter~~ immortellement, fait
durer un temps au milieu des autres. Songe qu'elles s'élevaient
les tours de Guermantes, devaient vraisemblablement le XIIIe siècle
là, à une époque où je lis que leur nom et peut-être elles
n'avaient pas [illegible] pour leur [illegible] et leur [illegible], les tours de
Chartres, les tours d'Amiens, les tours de Paris qui n'existaient pas
encore. ~~Songe à cette chose immatérielle~~ Plus ancienne qu'elle songe
à cette chose immatérielle l'abbaye de Guermantes, plus ancienne que
ces constructions, qui existait depuis bien longtemps quand Guillaume partit
à la conquête de l'Angleterre, alors que les tours de Beauvais
de Bourges ne se dressaient pas encore et que le [illegible]
qui s'élançait ne surgit pas au-dessus des collines de
Beauvais se dresser dans le ciel, à une époque où les

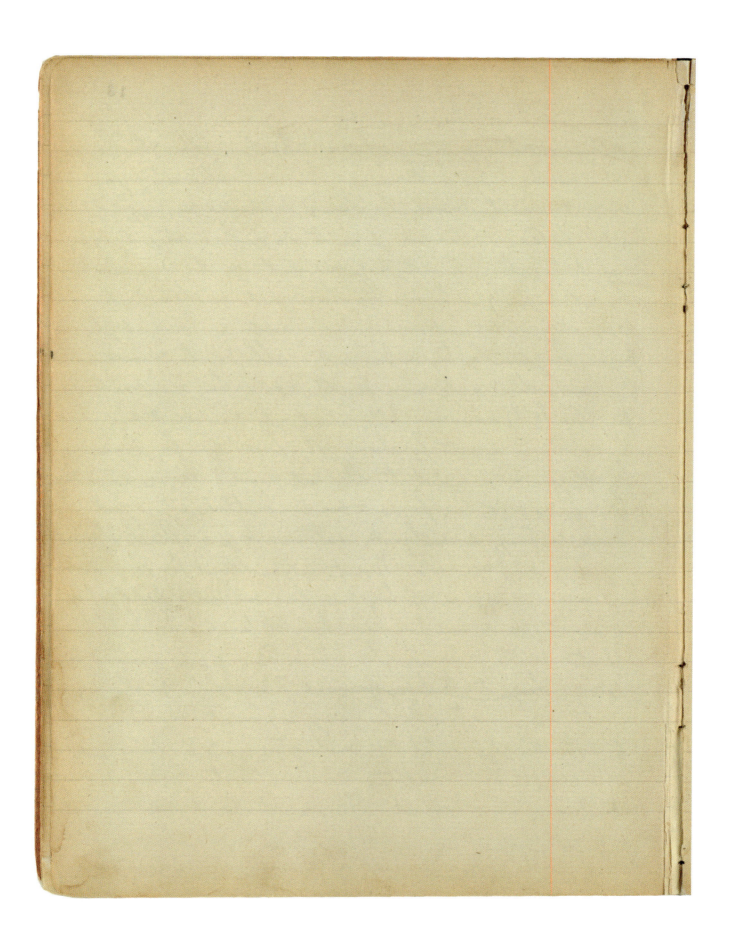

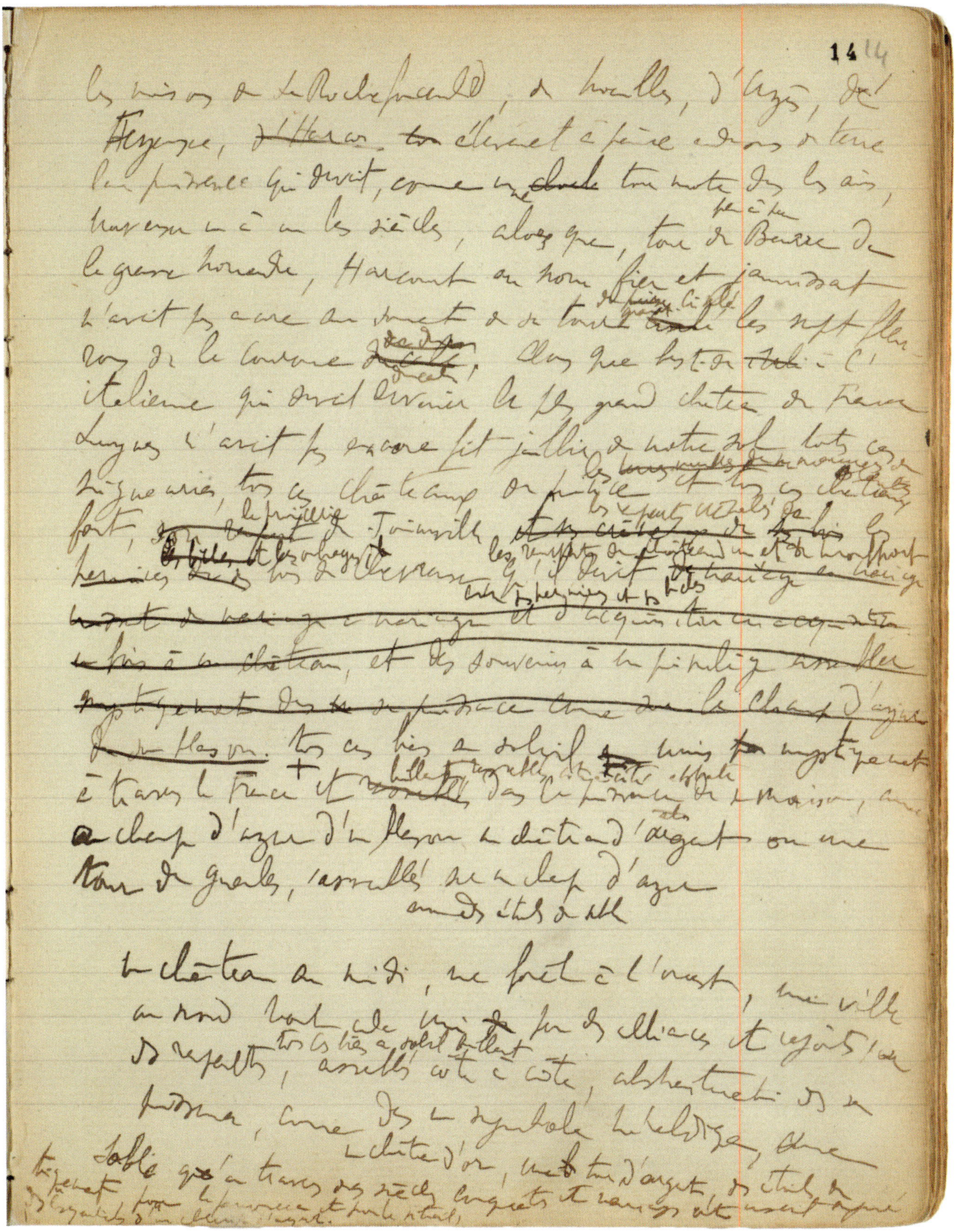

14

les maisons de La Rochefoucauld, de Noailles, d'Uzès, de
Fezensac, d'Harcourt, cherchaient à faire entrer dans notre
leur puissance qui devait, comme une tour monter dans les airs,
traverser un à un les siècles, alors que, tour de Babel de
la grâce normande, Harcourt au nom fier et jaunissant
n'avait pas encore au sommet de sa tourelle les sept fleurons de la couronne ducale, alors que lestement [illegible] l'italienne qui devait devenir le plus grand château de France
Luynes n'avait pas encore fait jaillir de notre sol tous ces
seigneuries, tous ces châteaux de [illegible] et tous ces châteaux
forts, [illegible] Joinville, [illegible]
[illegible] tous de Chevreuse qu'il devait [illegible]
[illegible]
[illegible] château, et des souvenirs à la [illegible]
[illegible] dans la [illegible] champ d'azur
[illegible]. tous ces lieux au soleil [illegible] unis [illegible]
à travers la France et [illegible] dans la [illegible] de sa maison, avec
un champ d'azur d'un blason un château d'argent ou une
tour de gueules, [illegible] sur un champ d'azur
[illegible]

un château au midi, une forêt à l'ouest, une ville
au nord [illegible] par des alliances et [illegible]
[illegible] tous les lieux au soleil [illegible], [illegible] côte à côte, [illegible]
[illegible], comme dans un symbole [illegible],
[illegible] qu'à travers des siècles un château d'or, une tour d'argent, [illegible]
[illegible]

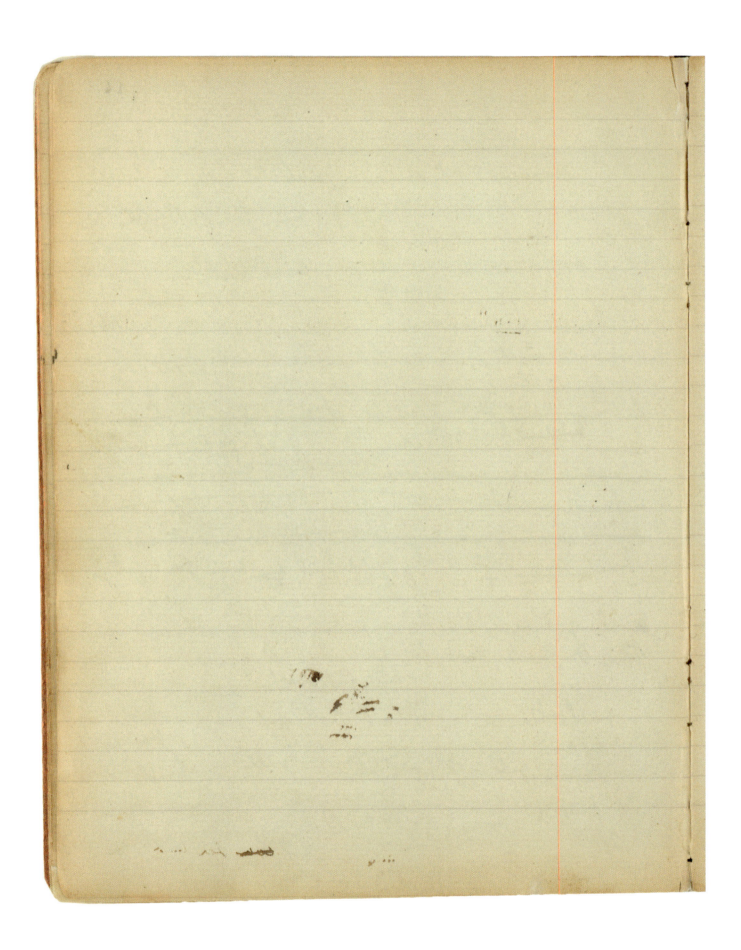

15

Le petit noyau des Verdurin
Swann toujours fourré chez
~~Comme si~~ C'est comme un [illegible].

Le tout ~~pour~~ selon les Verdurin ~~&~~ c'était de savoir se faire ce qu'ils appelaient un "petit noyau agréable". un petit "clan", ce qu'on met une raison spéciale à ce nom écossais.

Malheureusement Forcheville qui était extrêmement [illegible] croyait flatter Swann et donner une grande idée de lui aux Verdurin en leur apprenant ses belles relations. Et comme il ne voulait pas dire comme quelque chose d'extraordinaire "vous savez il connaît beaucoup ~~les~~ les hauts gratins" il ~~avait trouvé cette formule~~ disait [illegible] ~~&~~ comme si c'avait été un vice "ah! celui-là il est ~~toujours~~ tout le temps fourré chez les La Rochefoucauld". Ce qui était d'autant plus faux que Swann n'allait plus guère que chez les Verdurin. Mais le nom des personnes qu'ils ne connaissaient pas ~~était pénible aux Verdurin, non~~ était accueilli ~~par les~~ des Verdurin ~~avec un silence glacial et cet air de ne pas~~ ~~avoir~~ ~~et~~ ~~un glacial de ne pas avoir entendu qu'on témoigne généralement à l'écho d'une faute qu'on eût commise produisit aux Verdurin l'effet de ces révélations lorsqu'elles que vos amis~~ [les avez-vous faites qui vous blessent et effrayent] ~~vous avaient quelquefois dans vos~~ ~~faire~~ "[illegible]". ~~ou~~ ~~cette~~ ~~[illegible]~~ par un silence

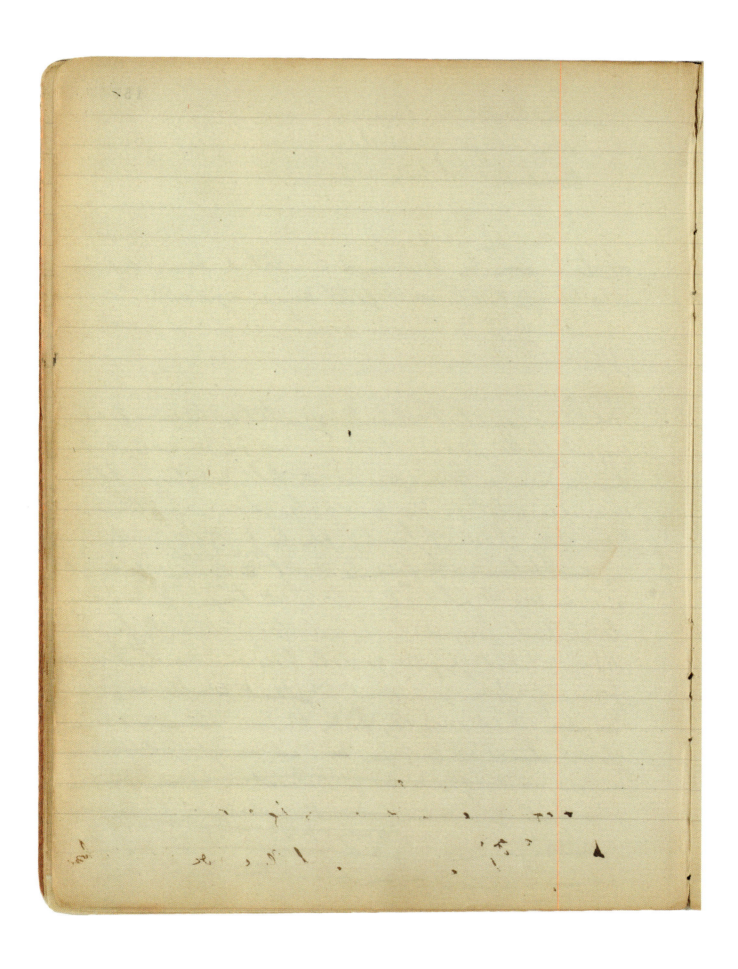

16

répétition. Leur visage ne prenait pas positivement une expression
de blâme, mais ~~cette absence d'expression que~~ perdait volon-
tairement toute espèce d'expression, comme quand nous ne
voulons pas prendre acte de quelque chose qu'essaye de
nous "glisser" un de nos amis ~~et~~ qui se trouve ~~en face~~ (confuse)
vis à vis de nous, (et surtout la grande vigilance) ~~ou cherche à nous faire~~ [illegible]
~~de la part, d'une personne~~ qui nous ~~dit~~ (taxe) "négligemment"
~~qu'il a~~ d'une fête à laquelle il ne nous a pas invités, ~~etc.~~
ou d'une faute qu'il fit nous être désagréable, ou nous fait
les amitiés d'une personne (brouillée) dont nous lui avons "défendu de nous
reparler". Tel était le visage ~~par~~ (sur) lequel les Verdurin ~~[illegible]~~
entendaient le nom des ennuyeux ~~que ne pas~~ que
quelques "amis", quelques "camarades", quelques "connus"
étaient assez fous pour préférer certains soirs au "petit noyau"
tel était celui sur lequel ils entendaient la révélation, faite
sans méchanceté d'ailleurs, que Swann était "toujours
fourré" chez des gens qui ne faisaient pas partie du petit
noyau. Là à ces moments-là Monsieur Verdurin avait levé les
yeux sur sa femme, il eût pu ~~contempler~~ (admirer) ~~quelle admirable grande~~
~~de pape, quelle~~ l'~~absolue impassibilité~~ (pétrification subite), ~~quelle~~ la ~~grandeur~~ (majesté)
~~soudaine~~ presque papale du visage de sa femme. Son front bombé
sous ses cheveux gris n'était plus un réceptacle ~~fragant~~ (consacré) à

~~répétée~~ le nom des personnes chez qui Swann était
(peut-on ajouter) "toujours fourré" mais une belle étude de ronde bosse

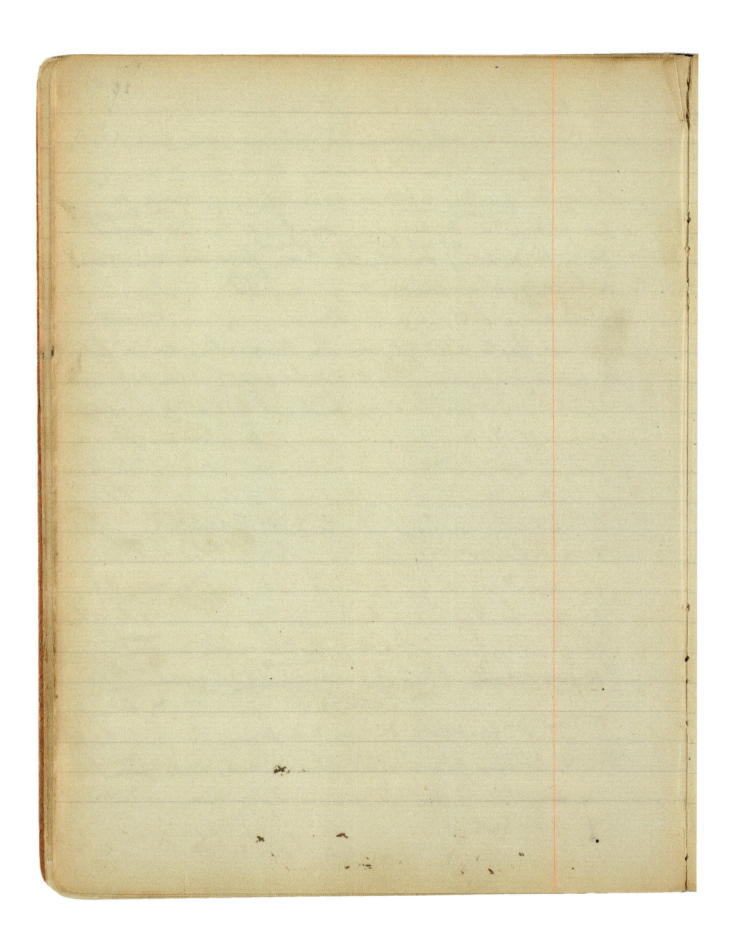

en plâtre qui fait l'admiration de l'amateur. Son nez légèrement
froncé laissait voir une échancrure calquée sur la vie, on
aurait dit que sa bouche allait parler. Celle de Mme Verdurin ne
se fermait pas car il fallait une [une certaine] application ~~d'esprit~~ [effort] de la chose dont on avait
parlé avant le triste ménage de Forcheville [à l'esprit actuel et d'anciennement] de manière à être
étrangère qu'on ne l'avait pas entendue, comme quelqu'un qui a reçu ~~un~~
~~un~~ du papier taché et ne veut pas être "touché" par lui a soin
~~de ne pas~~ [de rendre] le ~~recevoir~~ rendre dès que l'enveloppe est été ouverte.
D'ailleurs les révélations de Forcheville étaient presque inutiles
Bien vite les Verdurin avaient compris que Swann n'était pas
des "le ton* de leur petit noyau". Impossible de lui arracher
d'aveu le grief de l'infamie des ennuyeux. Quand les mots
de la pianiste ~~disait~~ d'après Mme Verdurin, les réceptions de
[femmes obligées d'y rester avec]
Bois Boudran ou de [plaignait] [laissait à désirer]
Mouchy" Swann se contentait d'un bon rire, ~~qui était~~
~~dire : "je ne m'y ... fatigue"~~ que les Verdurin trouvaient
"très bête" et quand M. Verdurin lui disait que tout le monde
lui assurait que M. Robert de Montesquiou était amusant et
plein d'esprit, Swann ne pouvait s'empêcher de dire que c'
était exactement le contraire, ~~ce qui faisait attitude de~~
~~fidélité à ses opinions et de bon ton que M. Verdurin attribuait~~
~~à la prudence mondaine~~ M. Verdurin allait jusqu'à lui dire
: "Mais dites donc franchement votre pensée, nous ne le
répéterons pas !". Car le "courage de ~~ses~~ [ses] opinions" caractérise toujours
de la lâcheté à ceux devant qui il s'exerce. On attribue
à un calcul de prudence ~~sociale~~ la circonspection polie
avec laquelle on ~~ose~~ ~~tout~~ proclame les opinions auxquelles

18

ou reste fidèle. Swann était écarté même "le chien et le chou" et Madame Verdurin comme ces grands inquisiteurs qui ne pouvant extirper l'hérésie au fond des cœurs ~~et de~~ exigeaient au moins les apparences extérieures de l'orthodoxie, sentait qu'elle ne pourrait à cause de Swann réaliser l'unité morale du petit noyau, ~~tout~~ ses nerfs ne pouvait physiquement ~~à~~ supporter l'aveu proféré de sa dissidence, et un jour où Swann avait dit en riant à la mère du pianiste qui prétendait que l'impératrice selon Verdurin était antipathique, que c'était ~~la~~ une des plus belles femmes qu'il ait jamais vues, Mme Verdurin exaspérée lui avait crié du fond du cœur "Trouvez-la si vous voulez, mais au moins ne nous le dites pas !"

~~Cousin Piperaud~~

Le jeune docteur n'était pas un mauvais homme, ~~mais il avait l'air long~~ mais à quelque phrase que l'on lui dit, tel désir de ne ~~son~~ paraître naïf ~~tout~~ au-dessus de son nez sous ses yeux ronds aussi ~~son ex-~~ exprimait l'~~interrogation anxieuse de~~ air interrogatif et ~~blague~~ de méfiance de quelqu'un qui voudrait ~~savoir~~ bien que ce qu'on lui dise si c'est une blague mais qui à tout hasard ~~sans~~ s'élance d'avance une espèce de rire qui permette, ~~de~~ si c'en était une, de montrer qu'on l'avait bien vu. C'est ce qui faisait que Verdurin lui trouvait une caractère expression fine et "même sarcastique", quoique personne ne fût moins fin. Quant à sarcastique le pauvre homme avait trop à faire pour "entendre la vraie" comme il disait et se rendre compte si ~~...~~ les paroles des autres, les plaisanteries de ses malades, les paroles de bien et d'une manière générale la

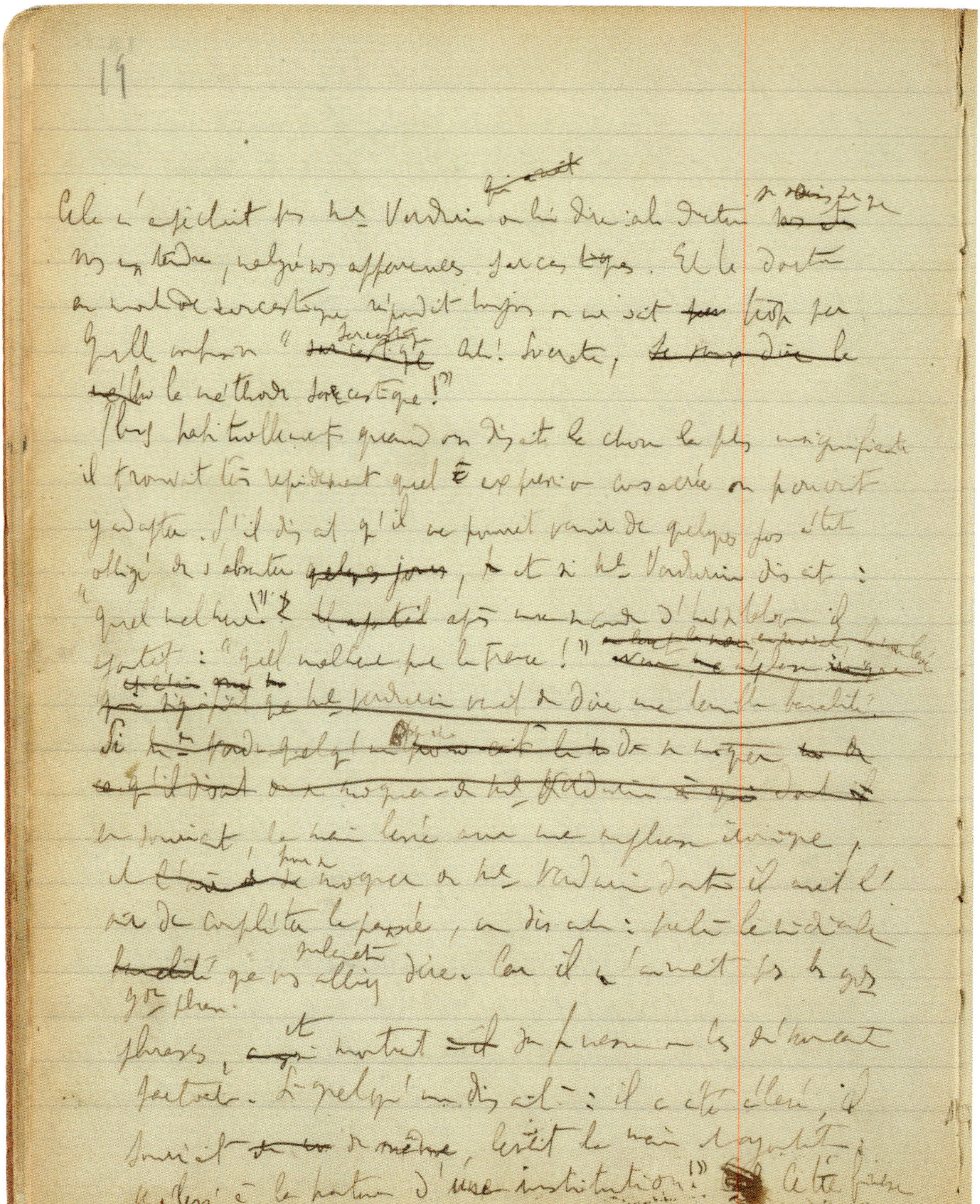

19

Cela n'empêchait pas Mme Verdurin ou [illegible] de dire au docteur [illegible] de ne pas nous entendre, malgré nos apparences sarcastiques. Et le docteur au mot de sarcastique répondit toujours on ne sait trop par quelle confusion "sarcastique Ah! Socrate, [illegible] la méthode sarcastique!"
Plus habituellement quand on disait la chose la plus insignifiante il trouvait très rapidement quelle expression consacrée on pouvait y adapter. S'il disait qu'il ne pouvait venir de quelques jours étant obligé de s'absenter, et si Mme Verdurin disait : "Quel malheur!" [illegible] après une [illegible] d'hésitation il ajoutait : "quel malheur pour la France!" [illegible]
[illegible]
il souriait, la main levée avec une expression ironique, et pour se moquer de Mme Verdurin dont il avait l'air de compléter la pensée, en disant : voilà le mot [illegible] que vous alliez dire. Car il n'avait pas les gros[ses] phrases, et ne montrait de finesse que dans les [illegible]. Si quelqu'un disait : il a été élevé, il souriait de même, levait la main [illegible] "élevé à la hauteur d'une institution!" Cette phrase

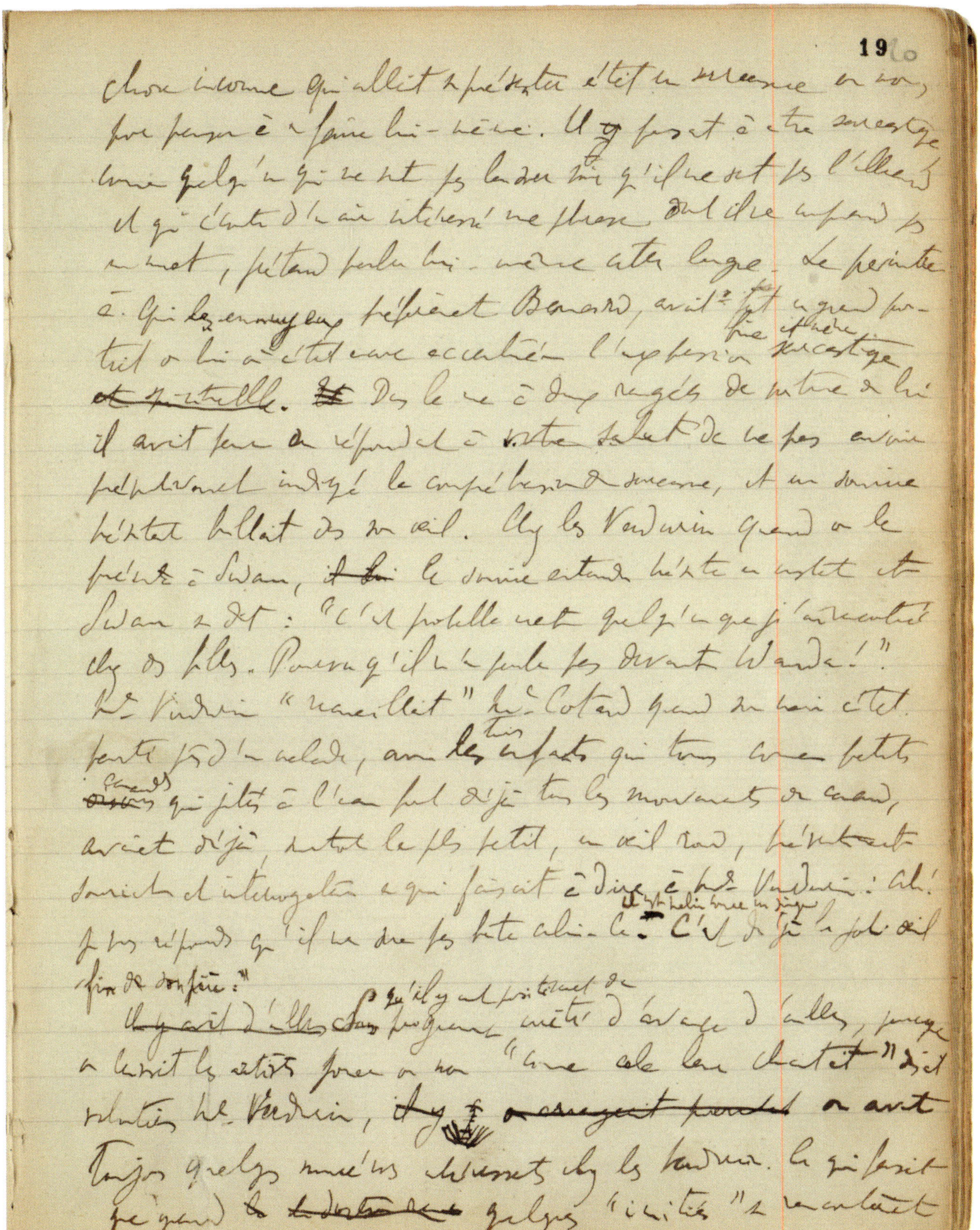

19

chose inconnue qui allait se présenter était une nuance ou non, pour penser à la faire lui-même. Il y [illegible] à être sarcastique comme quelqu'un qui ne veut pas laisser voir qu'il ne sait pas l'allusion et qui écoute d'un air intéressé une phrase dont il ne comprend pas un mot, prétend parler lui-même cette langue. Le peintre à qui les ennuyeux préféraient Bernard, avait fait un grand portrait où lui avait été avec accentuée l'expression une effusion sarcastique ~~et spirituelle~~. Dans le [illegible] à deux rangées de [illegible] de lui il avait peur en répondant à votre salut de ne pas avoir préalablement indiqué la compréhension de nuance, et un sourire hésitant brillait dans son œil. Chez les Verdurin quand on le présenta à Swann, ~~il lui~~ le sourire attendu hésita un instant et Swann se dit : "C'est probablement quelqu'un que j'ai rencontré chez des filles. Pourvu qu'il ne parle pas devant Wanda !" Mme Verdurin "émerveillait" Mme Cotard quand son mari était parti pour un malade, avec les trois enfants qui tous comme petits ~~[illegible]~~ canards qui jetés à l'eau font déjà tous les mouvements de canard, avaient déjà, surtout le plus petit, un œil rond, hésitant, souriant et interrogateur qui faisait dire à Mme Verdurin : Ah ! je vous réponds qu'il ne sera pas bête celui-là. [illegible] C'est déjà un joli œil plein de [illegible]"

~~Il y avait d'elles chez~~ [illegible] [illegible] d'avance d'elles, jusqu'à [illegible] les artistes [illegible] "comme cela leur chantait" disait volontiers Mme Verdurin, ~~il y~~ [illegible] ~~[illegible]~~ on avait toujours quelques musiciens [illegible] chez les Verdurin. Ce qui faisait que quand ~~[illegible]~~ quelques "invités" se rencontraient parut si amusante à Forcheville qu'il fut immédiatement conquis. Il n'avait dîné la 1re fois qu'avec Mme Cottard, le Dr ayant été appelé par une consultation en province. Quand il eut le Dr qu'il ne connaissait pas il entendit de tels [illegible] plus [illegible] et après le dîner il ne put s'empêcher d'aller tout d'un trait à Mme Cottard : "Quel homme exquis que votre mari ! Quel causeur délicieux. C'est un vrai régal de l'entendre !"

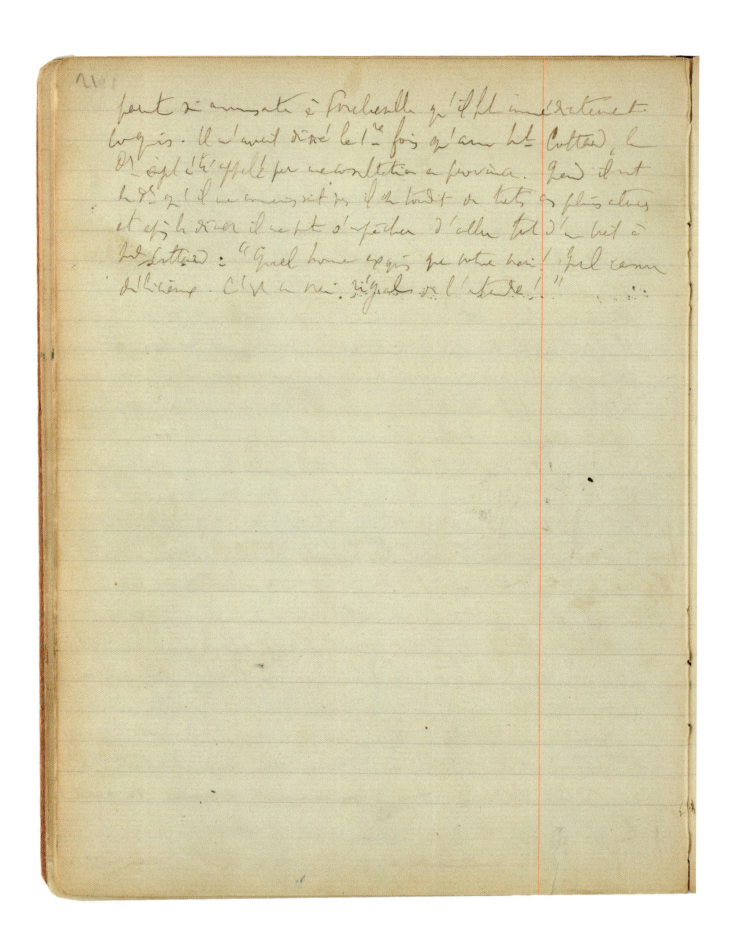

20

ils ne demandaient "savez-vous ce que nous allons faire ce soir chez
Mme Verdurin". ~~Quelquefois~~ Mme Verdurin lui disait "cher chéri" mais
quelquefois ~~quand~~ à un artiste elle disait ~~je~~ en prenant exprès un
air vulgaire : "Dites donc est-ce que vous n'allez pas travailler
de votre métier, vous" ce qui faisait beaucoup rire tout le monde
excepté Swann qui ne pouvait pas rire de ce qu'il ne trouvait pas
drôle, ce en quoi il était un parfait poison.
Le peintre ~~disait, avec un rire~~ s'extasiait sur un ~~Rembrandt~~ x qu'il avait
vu et se récriait d'admiration ~~faisait [illegible]~~
~~[illegible]~~ "~~[illegible]~~ J'ai voulu voir avec quoi il les faisait ces fleurs, j'ai été me mettre le nez sur la toile, ah! bigre ouiche on ne sait pas comment c'est
fait, ~~[illegible]~~
~~[illegible]~~, on ne sait pas si c'est fait avec de
la colle, avec ~~du papier~~ des rubis, avec ~~des rubis~~ du papier, avec du soleil
avec du caca, ça n'a l'air fait avec rien, les moyens de
trouver le truc, c'est ... tout y est, ce sont, bon, ce n'est ... c'est du miracle, c'est
de la crapulerie, de la [illegible] (riant) "c'en est malhonnête" ~~[illegible]~~
gravement "et c'est si loyal!" et Mme Verdurin répondait :
"~~Ce~~ Ce qu'il s'amuse quand il s'emballe comme ça!" Et le
peintre : "Non, mais c'est pas de la blague, vous croyez que j'exagère
mais non!" "Mais non nous ne croyons pas que vous exagériez, mais nous
voulons que vous mangiez!" Le peintre invitait Swann à son atelier
avec Wanda. Un chic il disait toujours j'aime faire des ménages. Il est
gentil a dit Swann.

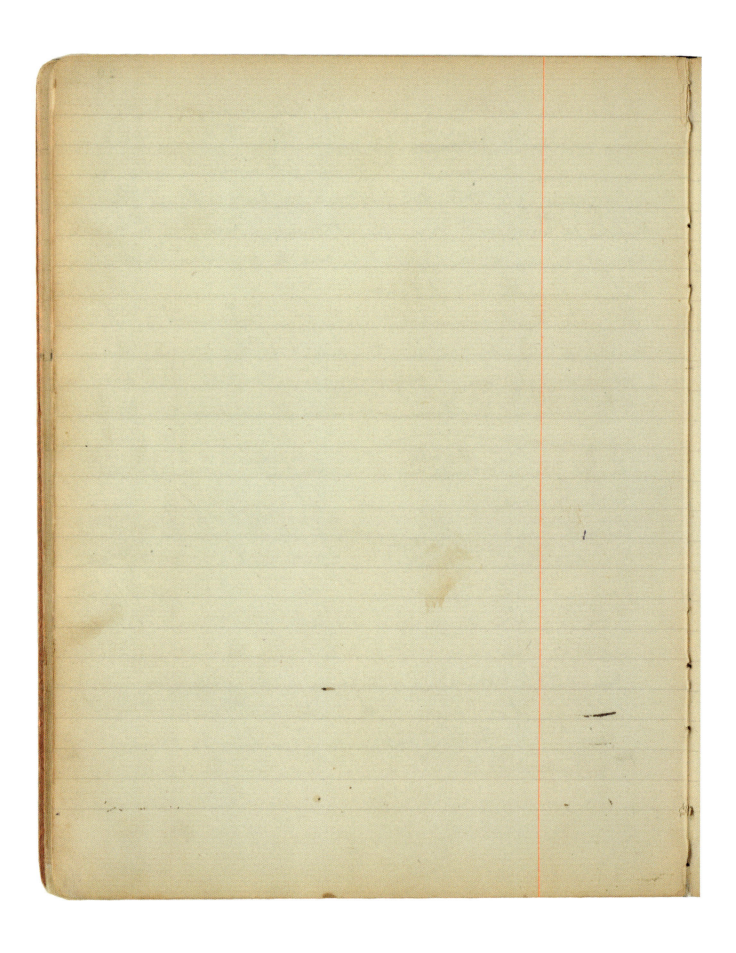

21

Je songe presque à parler de l'abside de l'église de
Combray, tant elle était grossière auprès de tant d'absides
célèbres que j'ai vues depuis. Comme ~~l'ég~~ ~~l'ég~~ ~~la rue~~ ou
~~sur laquelle~~ le croisement de rue sur lequel elle donnait
était niveau beaucoup plus bas que la place de l'église, l'abside
de ~~x~~ Combray s'élevait surélevée sur un mur de ~~...~~ pierre plein et
~~pl~~ irrégulière plein et ses ouvertures des plus grossières et qui n'avait rien de
particulièrement ecclésiastique, si ce n'est assez grande hauteur
n'avait commencé une série de grandes verrières, qui
donnaient à cette partie de l'édifice un aspect peu significatif
que puisque toute la plus grande partie de la muraille grossière
ne présentait rien qui répondît à ces verrières. ~~Et cependant~~
Depuis j'ai vu les plus belles absides du monde, celle de
Beauvais, celle de Chartres, celle d'Amiens, ~~et~~ de Reims
et combien d'autres. Et je me suis demandé au de grands
chevets laquelle produisait la plus profonde impression
religieuse. ~~La diversité pour servir de les fenêtres blanches d'~~
~~Amiens et la clarté qu'elles font pénétrer dans l'esprit l'éclat de~~
~~tous les secrets de la foi.~~ Parfois j'ai placé plus haut les fenêtres
blanches d'Amiens et cette grande clarté qu'elles répandent, parfois
cette glorieuse imbrication des fenêtres de Beauvais ~~qu~~ ~~t~~ où

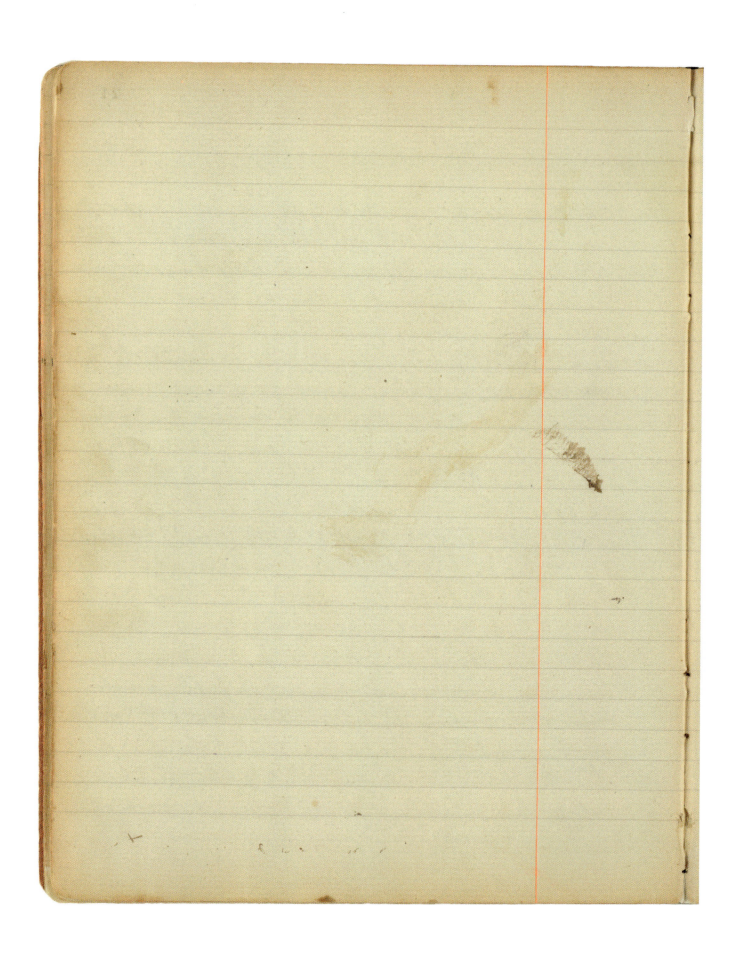

22

renouveler le sang des martyrs dont elle raconte la vie. Et toutes ces
impressions ont été effacées par l'église de Beauvais. Et j'ai [Puis]
préféré à Beauvais même des églises romanes, moins belles, mais qui
m'ont paru ~~plus~~ ~~mystique~~ d'un abstrait religieux plus profond encore. J'ai pensé
tout cela. Seulement un jour dans une petite ville obscure, au
tournant de ~~deux~~ autres ruelles, j'ai vu une muraille grossière et surélevée et
tout en haut des verrières qui rappelaient la disposition de cette
église de Combray à laquelle je n'avais certainement jamais repensé
depuis. Alors cette fois là je n'ai pas eu à me demander, car ce n'était
guère une œuvre d'art, si elle exprimait ~~bien~~ profondément ou
non un abstrait religieux, mais ~~les~~ ces murs m'ont paru ne pas
être de la même espèce que les murs des maisons, ou des monuments, et
~~tout~~ comme à Combray, j'ai pensé : "L'Église !" ~~La~~
~~petit porche de la sacristie était une des façades (Combray) (celle qui était~~
~~sur la place n'était que ce que j'ai dû plus tard m'appeler transept~~
~~et qui était plus développé à Combray que la façade occidentale) était~~
~~rue St Hilaire.~~ Cette disposition au ~~pas~~ intérieur, profonde entre ~~les~~
l'église et toute autre chose, [nettement entre elle et tout ce qui pouvait] ~~était telle~~ pour moi à
[l'apparaître une différence que nommait toujours] ~~Combray~~ ~~qu'~~une façade de l'église (la façade occidentale, car ~~la~~
~~appris~~ [autrefois] celle qui était sur la place ~~et qui~~ était en réalité ce que
j'ai appris [depuis] d'appeler transept, qui était à Combray plus développé
que la vraie façade) ~~qui~~ se trouvait rue St Hilaire sans aucune
séparation des autres maisons, de sorte que l'église était là entre la
maison de Mme Loiseau, et la maison du receveur, absolument comme
une autre maison, qui aurait eu son numéro si l'usage avait été de

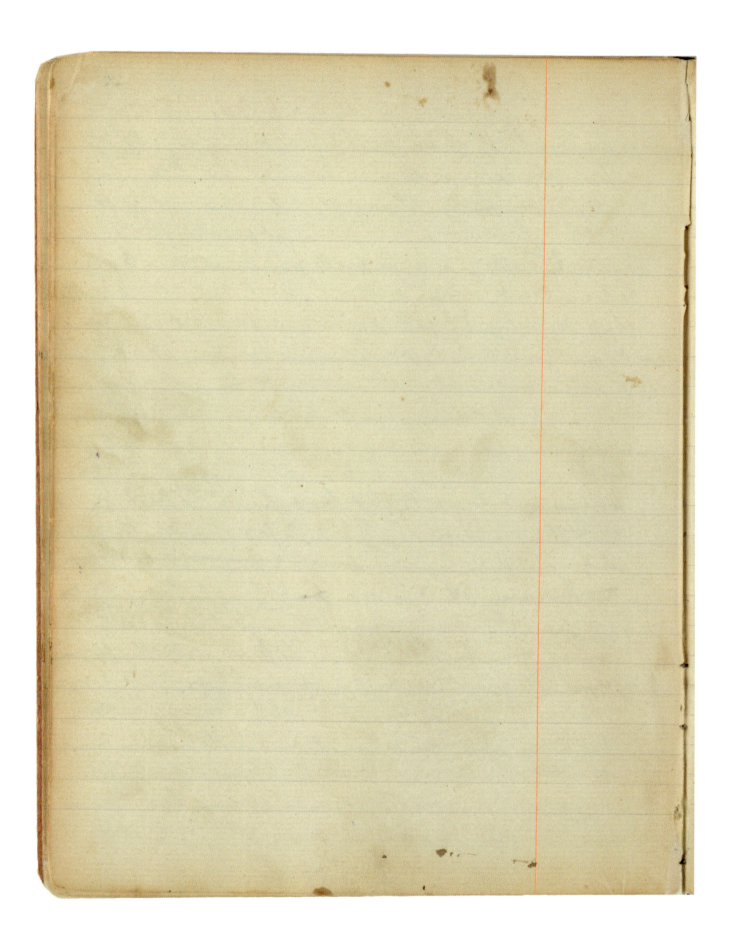

15 23

mettre des numéros aux maisons à Combray, qui devenaient ...
Hilaire comme un ~~a~~ autre habitant de Combray, devant qui le
facteur passait le matin en faisant sa tournée. Et ne s'arrêtait pourtant qu'il n'y avait personne. Et malgré cela ~~elle~~ si familière, si
~~[illegible]~~ mitoyenne des maisons, si mitoyenne des habitants, elle
était pour moi pierre sacrée et la ligne de démarcation idéale ~~entre~~ de façade
et le mur de Mme Loiseau était aussi infranchissable pour moi qu'
un abîme. Mme Loiseau avait à sa fenêtre des fuchsias dont ~~souvent~~ les
branches s'en allaient retomber sur le mur de l'église. Mais elles ne
ne paraissaient pas plus sacrés pour cela que mon oncle quand il s'age-
nouillait dans la chapelle derrière l'autel, sous le vitrail de Charles le
Mauvais. Tandis que la pierre sur laquelle le fuchsia s'appuyait ou la fenêtre de Mme Loiseau venait avec une
coquetterie indiscrète appuyer tendrement ses poires de cristal violet,
était sacrée. Ainsi était le clocher. Il y avait des rues où
on l'apercevait de côté au-dessus des toits sans voir l'église. ~~et [illegible]~~
~~[illegible]~~. Depuis c'est une façon de voir les églises que j'ai souvent
beaucoup aimée, qui rend charmants des clochers, des tours, des
dômes qui ne le sont pas toujours, et j'ai dans mon souvenir des
aigrettes autrement jolies que celle du clocher de Combray, aper-
çues de la rue de l'[illegible]. Il y a ~~et frêles~~ de [illegible] deux charmants [illegible]
blancs du XVIIIe siècle qui me sont à beaucoup d'égards chers
et vénérables, et autre qui, ~~a~~ ~~[illegible]~~ la flèche de St Germain d'É-
[illegible], ayant l'air de terminer les deux façades, mais d'une
matière si [illegible], si ~~[illegible]~~ précieuse, si émaillée, si
ourlée, si rose et vernie, que quand on la regarde du haut
jardin qui descend ~~de~~ jusqu'aux deux toits, et d'où elle a

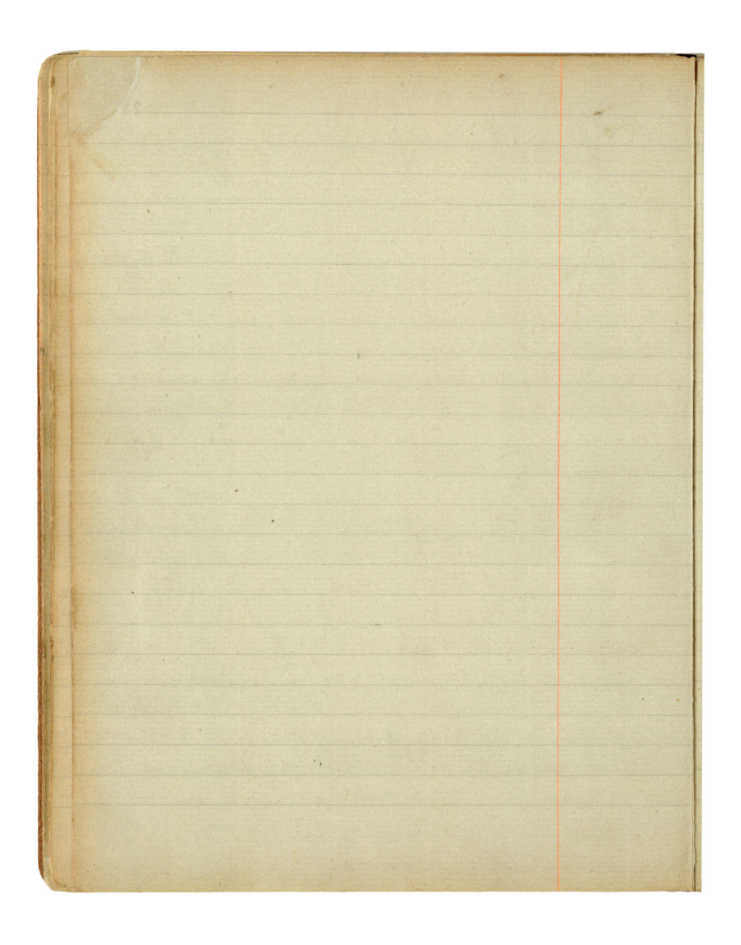

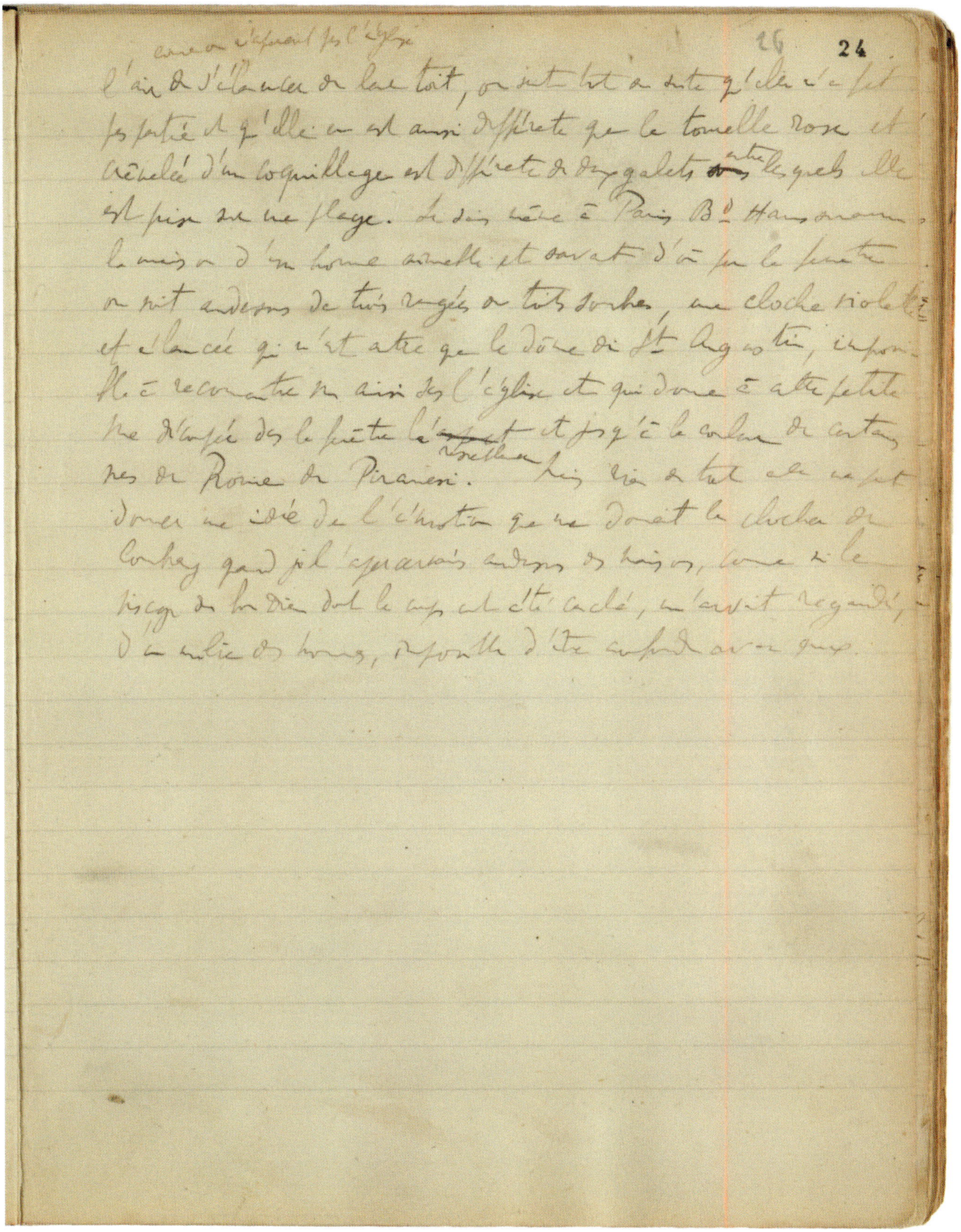
26 24

comme on n'aperçoit pas l'église
l'air de s'élancer de leur toit, on sent tout de suite qu'elle n'en fait pas partie et qu'elle en est aussi différente que la tourelle rose et crénelée d'un coquillage est différente des deux galets ~~dans~~ entre lesquels elle est prise sur une plage. Je dois même à Paris Bd Haussmann la maison d'un homme aimable et savant d'où par la fenêtre on voit au-dessus de trois rangées de toits sombres, une cloche violette et élancée qui n'est autre que le dôme de St Augustin, impossible à reconnaître ainsi dans l'église et qui donne à cette petite vue d'ensemble dans la fenêtre l'~~aspect~~ vraiment et jusqu'à la couleur de certaines vues de Rome de Piranèse. Mais rien de tout cela ne peut donner une idée de l'émotion que me donnait le clocher de Combray quand je l'apercevais au-dessus des maisons, comme si le visage du bon Dieu dont le corps eût été caché, m'avait regardé, d'au milieu des hommes, impossible d'être confondu avec eux.

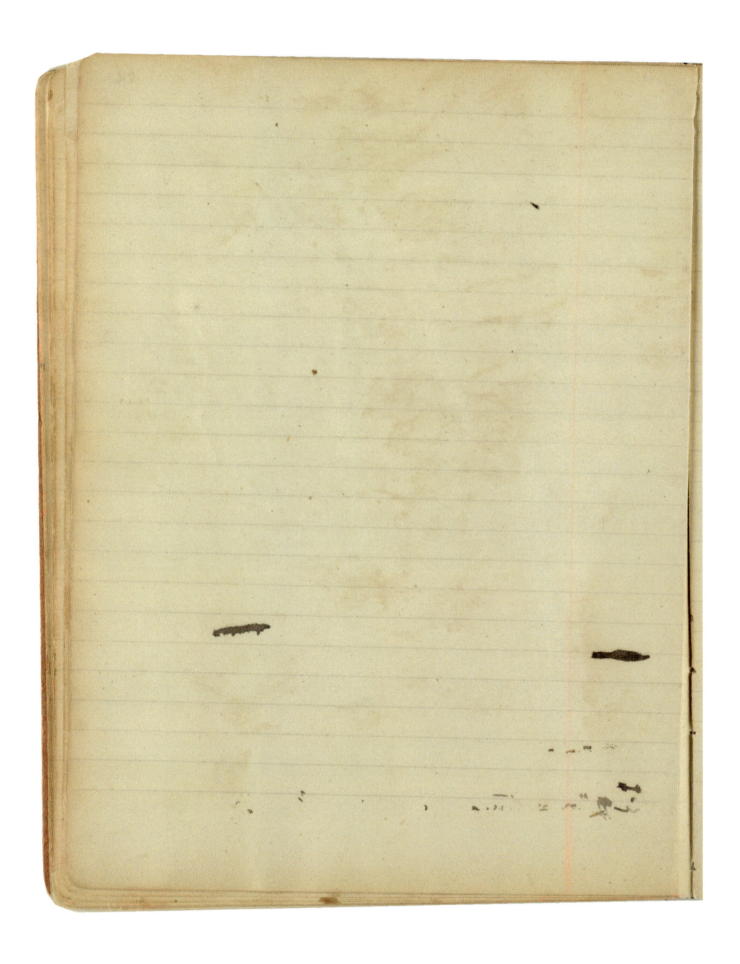

~~Souvent~~ Dans les promenades du côté de Méséglise nous laissions ~~de côté~~ à gauche un petit ~~bourg appelé Pins~~ chemin ~~qui~~ en pente bordé des deux côtés de quelques arbres qui s'espaçaient au fur et à mesure qu'il s'éloignait formait ~~ce~~ à l'horizon, dans un creux un vrai petit bois dominé par le clocher du bourg de Pinsonville. ~~Dix fois on avait voulu que nous allions à Pinsonville mais je préférais~~ ~~Parfois~~ Mon père voulait toujours "pour changer un peu" aller jusqu'à Pinsonville mais je préférais les champs de bluets, de sainfoin de coquelicots et nous continuions la ligne droite de sorte que je n'allai jamais jusqu'à Pinsonville. Mais c'était un des noms ~~familiers~~ que l'on disait souvent à la maison. On achetait au marché des volailles ~~qui venaient~~ apportées par des paysans de Pinsonville. Quand la pluie nous prenait sur la route de Méséglise, nous nous arrêtions dans les arbres qui descendent à Pinsonville, et quand elle était finie on voyait souvent un arc en ciel au-dessus du clocher de Pinsonville. L'année où nous revînmes à Combray à la fin de l'automne pour la réunion de ma tante ~~[illegible]~~ Bathilde, ~~[illegible]~~ il faisait froid, je lisais au coin du feu "La conquête de l'Angleterre par les Normands" puis quand j'étais fatigué, quel que temps qu'il fît je partais, ivre du repos accumulé et des idées ~~qui~~ ~~étaient~~ montées par la lecture qui demandaient à se transformer en mouvements de droite et de gauche comme une toupie ~~qu'~~ qu'on a tournée longtemps sur elle-même et qui

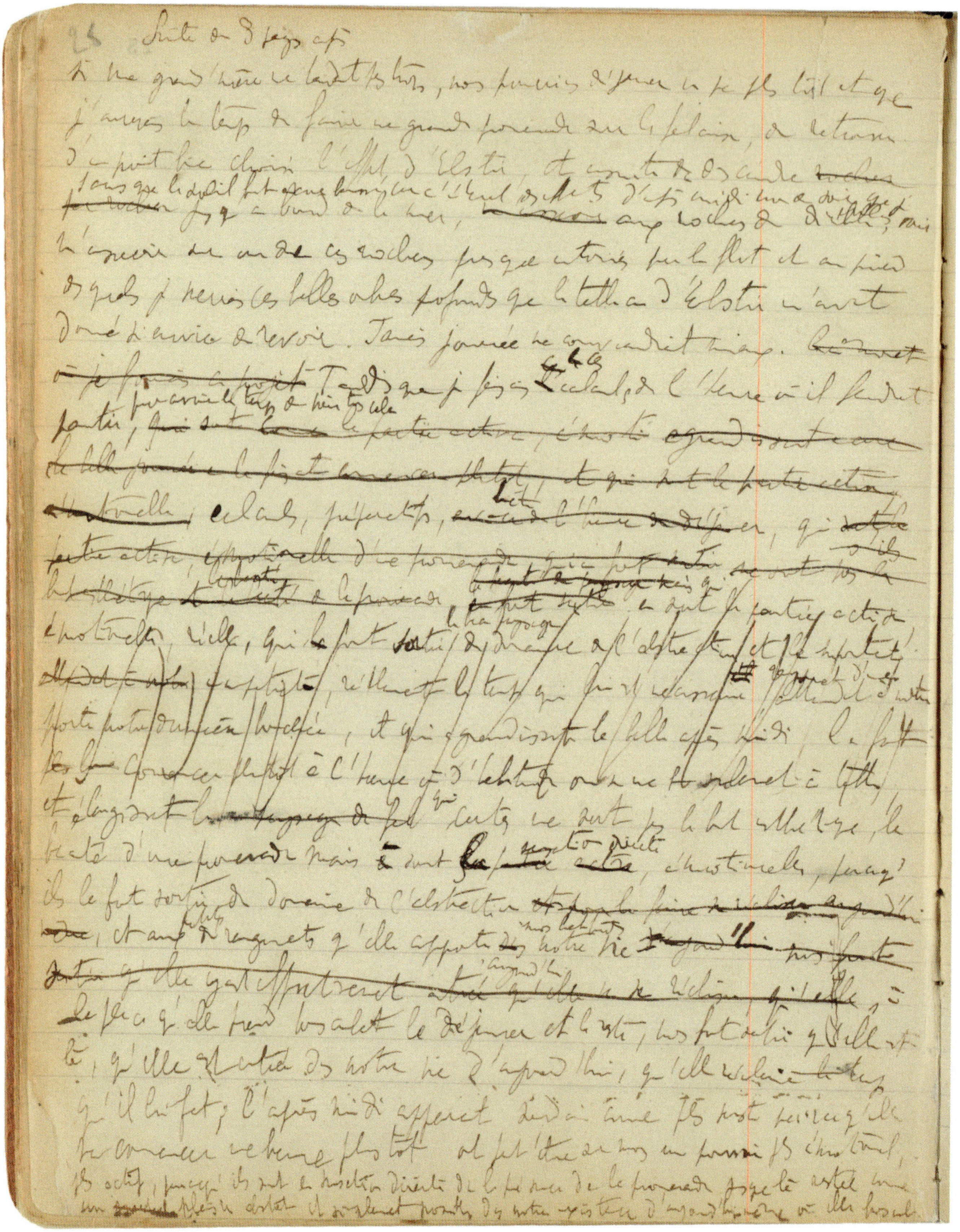

26 ~~19~~

seul s'échappe de tous les sens. Et sur les routes, les haies basses
les taillis recevaient de droite et de gauche des coups de [à droite]
canne ou de parapluie qui n'étaient peut-être que
des idées confuses qui ~~il eut été préférable~~ ne connurent
jamais le repos dans la lumière d'une phrase pour avoir
préféré le plaisir immédiat d'une dérivation plus
active. Je dis de canne ou de parapluie car la pluie cette
année là où j'étais seul et libre, ne m'arrêtait
pas. Plus tard j'ai connu les bienfaits du téléphone et
du club à qui ~~on demand~~ on envoie dans les dix minutes
une voiture fermée si le temps est mauvais. Et j'ai ~~to~~
répété comme tout le monde que c'était agréable, mais on
ne m'a jamais vu par la glace de la voiture que le visage
ennuyé des personnes qui n'ont qu'à téléphoner pour avoir une
voiture. Tandis que ces promenades que je faisais ~~à tort~~ à
Combray, "par tous les temps" et qui par la mal heureuse [illegible]
longueur des chapitres de la Conquête de l'Angleterre faisant
que juste au moment où mes yeux commençaient à se
brouiller sur les actions de Harold, la ~~pluie~~ [fine] commençait à
~~tomber~~, et que les premières gouttes se décidaient à tomber
[se brouiller] à peu près au moment où moi je me décidais à sortir, ces
promenades là sans aucun des conforts fournis par le téléphone
et le club je les ai fait machinalement tout le temps
pendant que mon [toujours] parapluie opposait au vent une
[et à la pluie]

les d'[illegible], prend le [illegible] qu'il lui jette — et qui agrandissaient la [illegible]
la porte commencer une heure plus tôt et les passages de falaise et de mer qui
font nous attendre et nous penser à notre porte de attendre notre dernière
soirée — j'eus la sensation [illegible] d'être regardé par quelqu'un
qui était non loin de moi. Je Sans me retourner tout à fait je changeai la
direction de mon regard et j'aperçus un homme entre deux âges [illegible]
grand et gros, aux moustaches noires et qui [illegible] attachait sur
moi des yeux dilatés et [illegible] tout en frappant nerveusement avec une badine
ses pantalons de toile flanelle. Le reste de son costume était sombre et absolument
différent de ceux que je voyais sur la plage. Il portait un chapeau de paille noire
et avait à la boutonnière une rose de l'espèce appelée mousseuse & double
queue trop longue pendant en liberté. L'extraordinaire [illegible] avec
laquelle il fixait [illegible] une cause une [illegible] regard. L'idée d'un
[illegible] d'hôtel, me [illegible] pour [illegible] à mes perles, de fenêtres de l'hôtel
me vint à l'esprit [illegible] cette crainte [illegible] fait qu'aussitôt qu'il
[illegible] qu'il [illegible] rendit compte que je le voyais, l'inconnu détourna les
yeux d'un air de [illegible] et de distraction [illegible]
[illegible] montra par [illegible] qu'il regardait, [illegible]
[illegible] il s'absorba dans la contemplation de l'affiche du casino qu'il
[illegible] à la ciriere de sa badine, [illegible] à mi voix, et [illegible]
[illegible] sur laquelle il [illegible]
toutes les indications de spectacle qu'elle donnait, puis il tira sa montre, regarda
l'heure, regarda au bout de l'avenue d'un air d'impatience, en mettant sa main
en visière au bord de son chapeau de paille d'il ne voyait aucune personne et
fit des gestes d'ennui qui signifiaient : "Voilà personne qui était ennuyeux de
rester là". Du moins il croyait sans doute que c'était cela que faisaient

27

joyeuse résistance. Et généralement ~~j'avais fait deux lieues~~ et ~~j'arrivais au petit~~ ~~[illegible] quart d'heure~~ après une promenade de deux lieues ~~[illegible]~~ faite dans ces conditions, j'étais fort avancé sur le chemin du retour et je m'approchais du "vieux porte" quand la pluie ayant définitivement lavé l'eau ~~[illegible]~~ sombre de la rivière la transformait en une substance lumineuse et trouble où un peu de soleil ~~dorait~~ jaunissait les feuilles des lilas du parc Swann, et c'était dans un ciel bleu que le clocher de Combray souriait du soleil dorant mon retour fatigué et joyeux. X Les promenades me plaisaient tant que ma grand'mère ne se consolait pas de me voir rentrer à Paris et comme c'était impossible de laisser Combray ouvert pour moi seul, on s'était presque entendu avec une fermière de Pinsonville qui offrait de me prendre en pension et j'aurais été libre toute la journée de me promener dans les champs. Mais ~~[illegible]~~ la pensée de vivre à Pinsonville ne me plaisait pas, je devais rentrer ~~à Paris~~ avec mes parents, et le projet de ma grand'mère fut abandonné.

X Ah! dire toute la tristesse quand je passais avec ma carriole [illegible] le [illegible] des pommiers ou les roues des [illegible] comme j'avais [illegible] une femme de [illegible] qui courait devant moi dans les sillons, ~~[illegible]~~ [grand vent qui était la 1re chose qu'on ne connaissait que] au vent de Paris on arrivait à Combray et qui les [illegible]

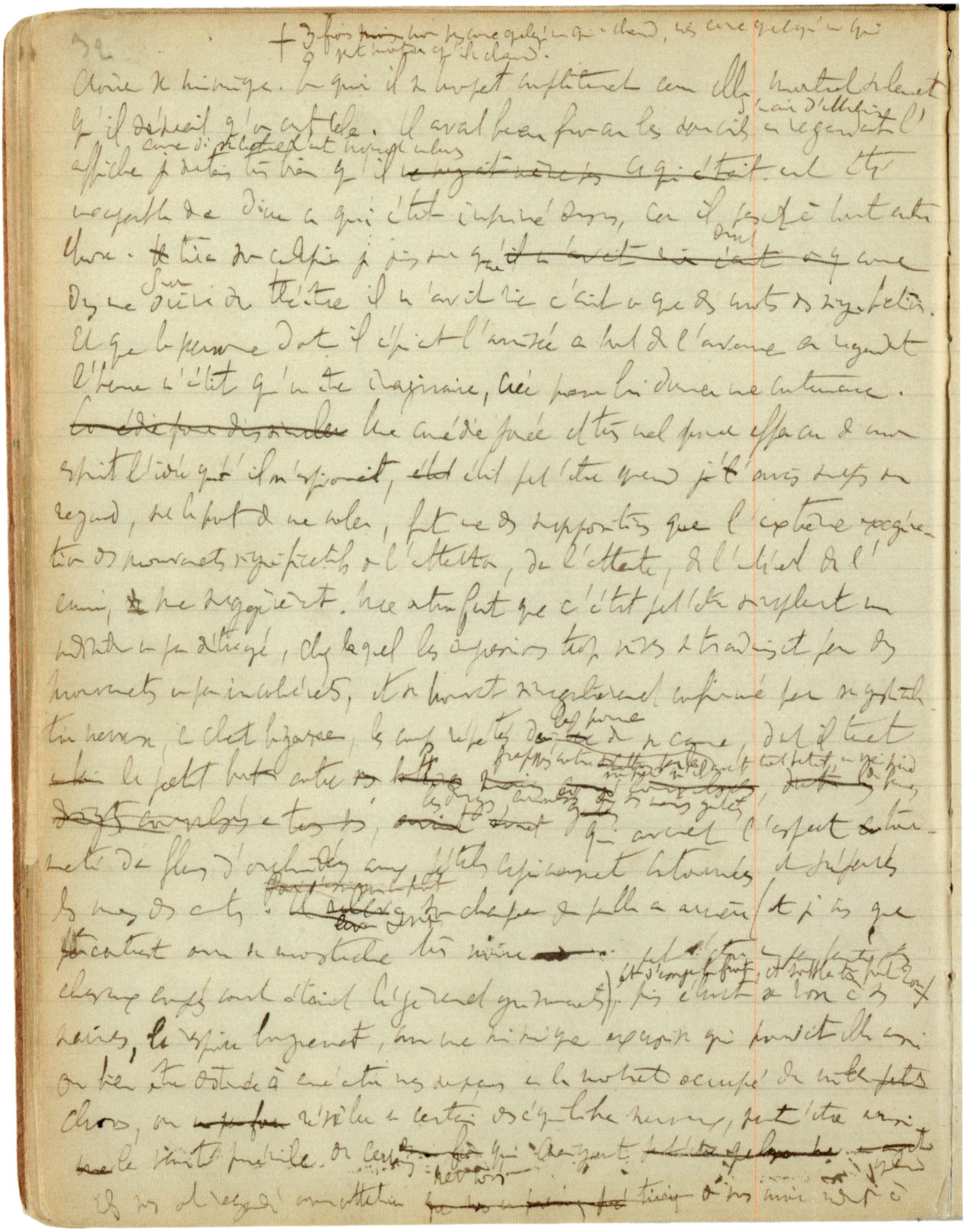

Jour s'affaiblit ou dormir, ~~finit ainsi~~ et qui avait une chose devant moi dans les allées, et parfois soulevait un souffle plus doux, ce vent exaltait mes désirs, le soleil qui paraissait par moments les alanguissait. Quelquefois dans un chemin désert je m'arrêtais je me disais ; ~~[illegible]~~ elle va paraître, là, au bout de ces arbres. de fatiguer les yeux, quand je les rouvrirai, elle sera là et me fera signe. Et je n'avais devant moi que les pommiers [illegible], ou le petit clocher de Pinsonville.

Ainsi ~~dans ce chemin que j'avais~~ au bout de cette allée d'arbres où je m'étais si souvent arrêté à cueillir des fraises et des violettes, après la fontaine qui alimente la Pinsonne, il y avait une fille qui tandis que je passais désespérément les arbres pour tâcher d'en faire sortir une dryade soupirait après les jeunes gens et devait venir pisser avec eux dans les bois. ~~[illegible]~~ Ainsi ~~tout~~ tout pays est peuplé de désirs, sous chaque pierre il y a de tendres pensées, ce bourg déshérité de Pinsonville ~~[illegible]~~ où j'avais cherché en vain toute une heure tantôt une fille plus belle que toutes celles que plus tard j'ai connues depuis Pinsonville ce lieu si familier à mon enfance ne pouvait me

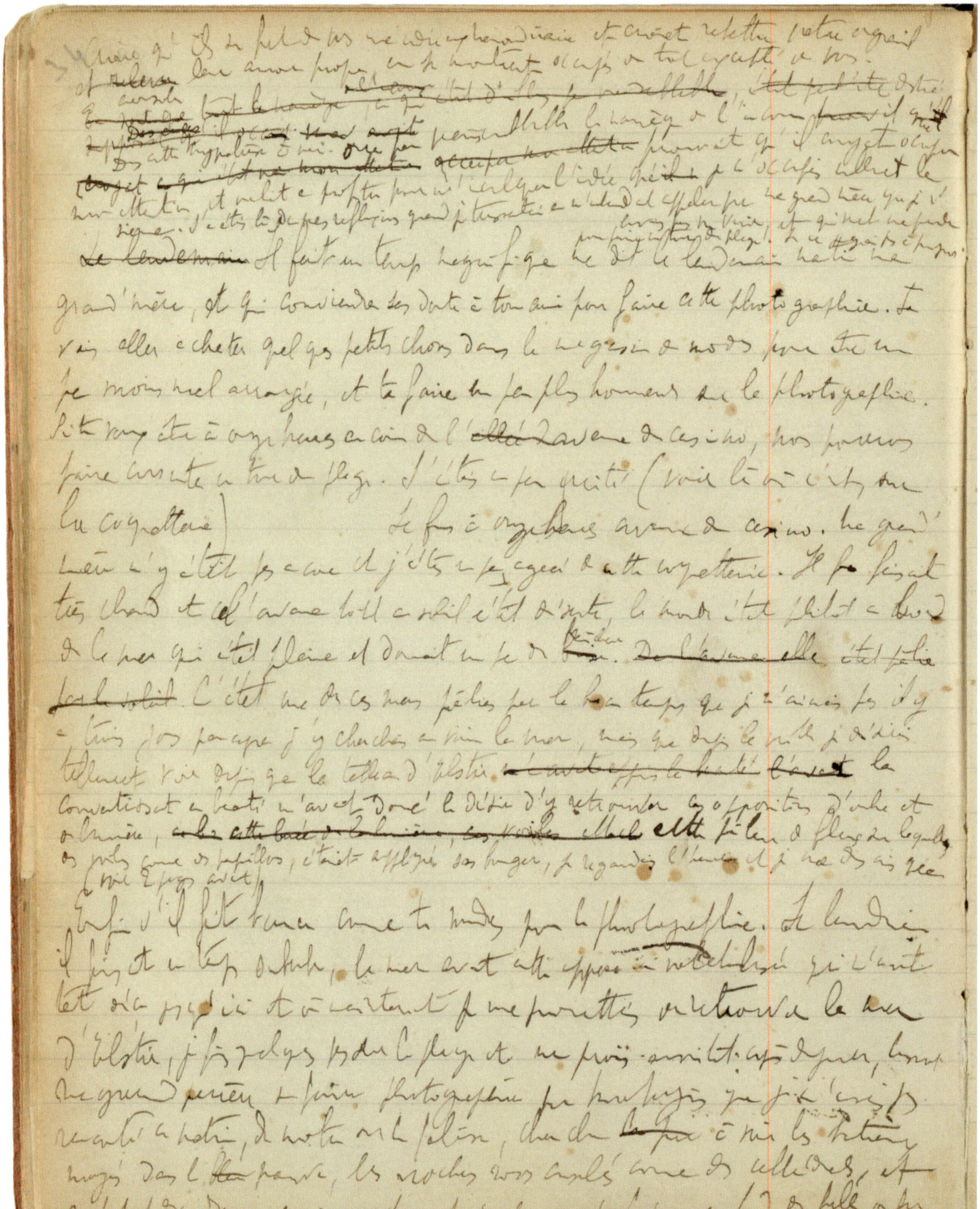

[illegible]

grand'mère, et qui conviendra des dates à ton ami pour faire cette photographie. Je vais aller acheter quelques petites choses dans le magasin de modes pour être un peu moins mal arrangée, et te faire un peu plus honneur sur la photographie. [illegible] à onze heures au coin de l'avenue du casino, nous pourrons faire ensuite un tour de plage. J'étais un peu agité (voir [illegible] la coquetterie) Je fus à onze heures avenue du casino. Ma grand'mère n'y était pas encore et j'étais un peu agacé de cette coquetterie. Il faisait très chaud et l'avenue toute au soleil était déserte, le monde était plutôt au bord de la mer qui était pleine et donnait un [illegible]. C'était une de ces mers pâles par le beau temps que je n'aimais pas il y a trois jours parce que j'y cherchais en vain la mer, mais que depuis [illegible] tellement [illegible] depuis que la tête d'Elstir [illegible] la conversation [illegible] m'avait donné le désir d'y retrouver des oppositions d'ombre et de lumière, [illegible] cette [illegible] de fleurs [illegible] comme des papillons, [illegible] sans bouger, je regardais l'heure et je [illegible] (voir 2 pages avant)

Enfin s'il fit beau comme tu voudras pour la photographie. Le lendemain il faisait un temps orageux, la mer avait cette apparence [illegible] qui l'avait tant déçu jusqu'ici et où maintenant je me promettais de retrouver la mer d'Elstir, je fis quelques pas dans la plage et me promis aussitôt après déjeuner, lorsque ma grand'mère serait à faire photographier [illegible] que j'ai [illegible] de monter à la falaise, chercher [illegible] à voir les [illegible] dans le paysage, les roches [illegible] comme des cathédrales, et [illegible] des roches [illegible] jusqu'à la mer [illegible]

29 15

sorte de plénitude, de ce qu'il avait autour. Et elle recevait une sorte de charme mystérieux d'avoir eu comme ré-
sidence, comme prison, comme ennemi nos villages de tous les
jours, le lieu qui n'~~était~~ avait guère été qu'un nom à
l'horizon de nos promenades avec quelquefois un arc en ciel
derrière son clocher, et qui ~~main~~ depuis tant d'années n'était
plus qu'un nom de rêve, de ces pays presque légendaires auxquels
quels on ne rattachait plus rien que de très anciens souvenirs,
noms de contes de fée à qui ne manquait plus que la fée même
et qui donnait quelque chose de voluptueux à ces syllabes
que prononçaient avec l'accent traînard de Combray mon
oncle et ma tante : "il doit pleuvoir du côté de Pinsonville".
Dans les bois de Pinsonville, se mit de ~~[illegible]~~ des bois sur l'herbe
cette Viviane à forme de couleuvre sur ~~les quelles~~ lèvres de laquelle j'essayais
vainement de retrouver le goût des violettes, des fraises et du
vent des promenades d'autrefois.

Le Colonel Bd Haussm.
L'archevêque Straus. [?]
Abel.

Sur épreuves le cotoir ~~[illegible]~~
Montargis m'avait dit mon oncle Guercy doit venir voir
Ta tante, c'est un type, un homme qui ~~a fait~~ ne s'est pas
trompé dans la vie, il a eu toutes les femmes de la terre quoiqu'on
ne sache pas exactement lesquelles parce qu'il est très discret. ~~[illegible]~~
Il a été trompé une première fois Guercy, mais cela ne l'a pas

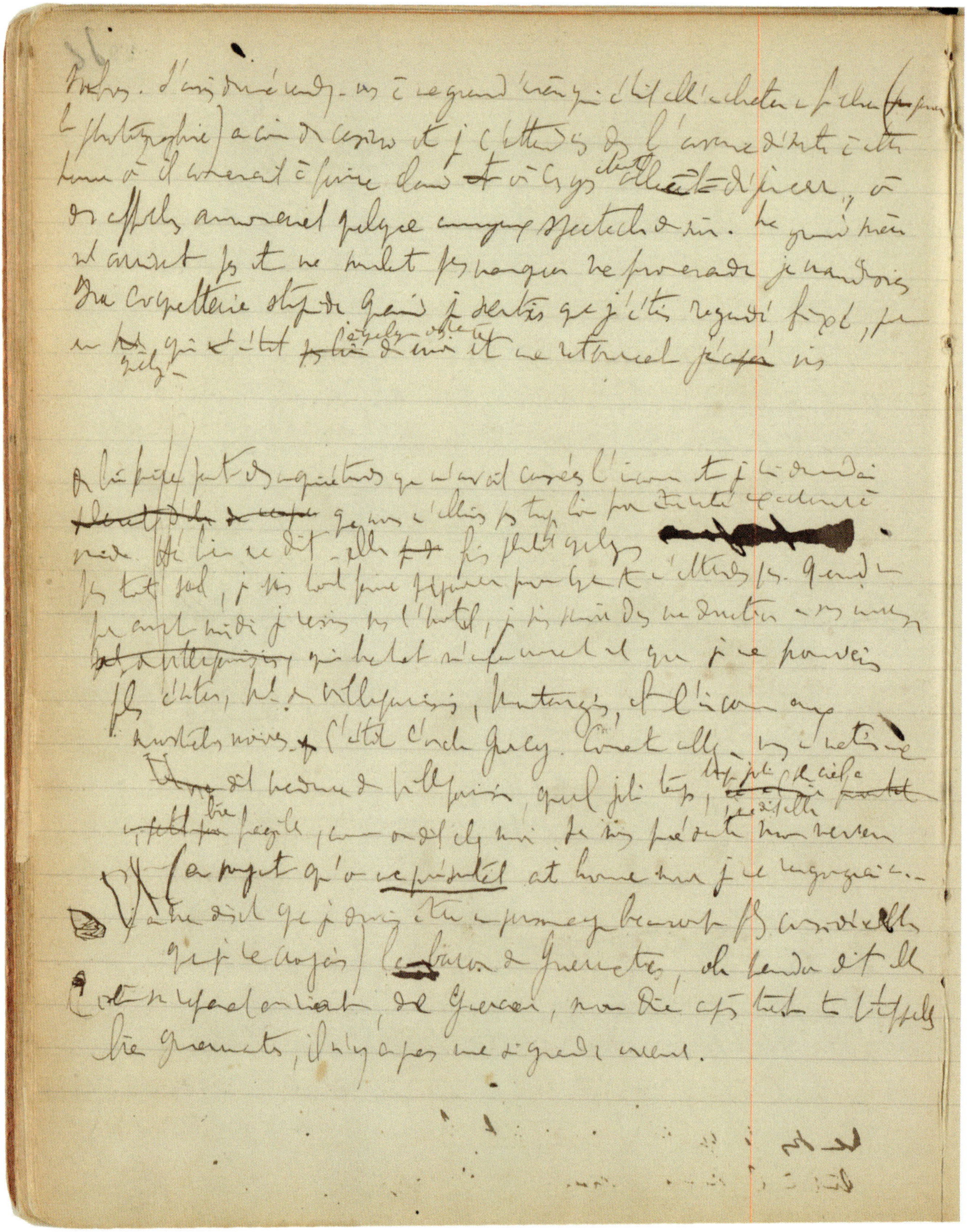

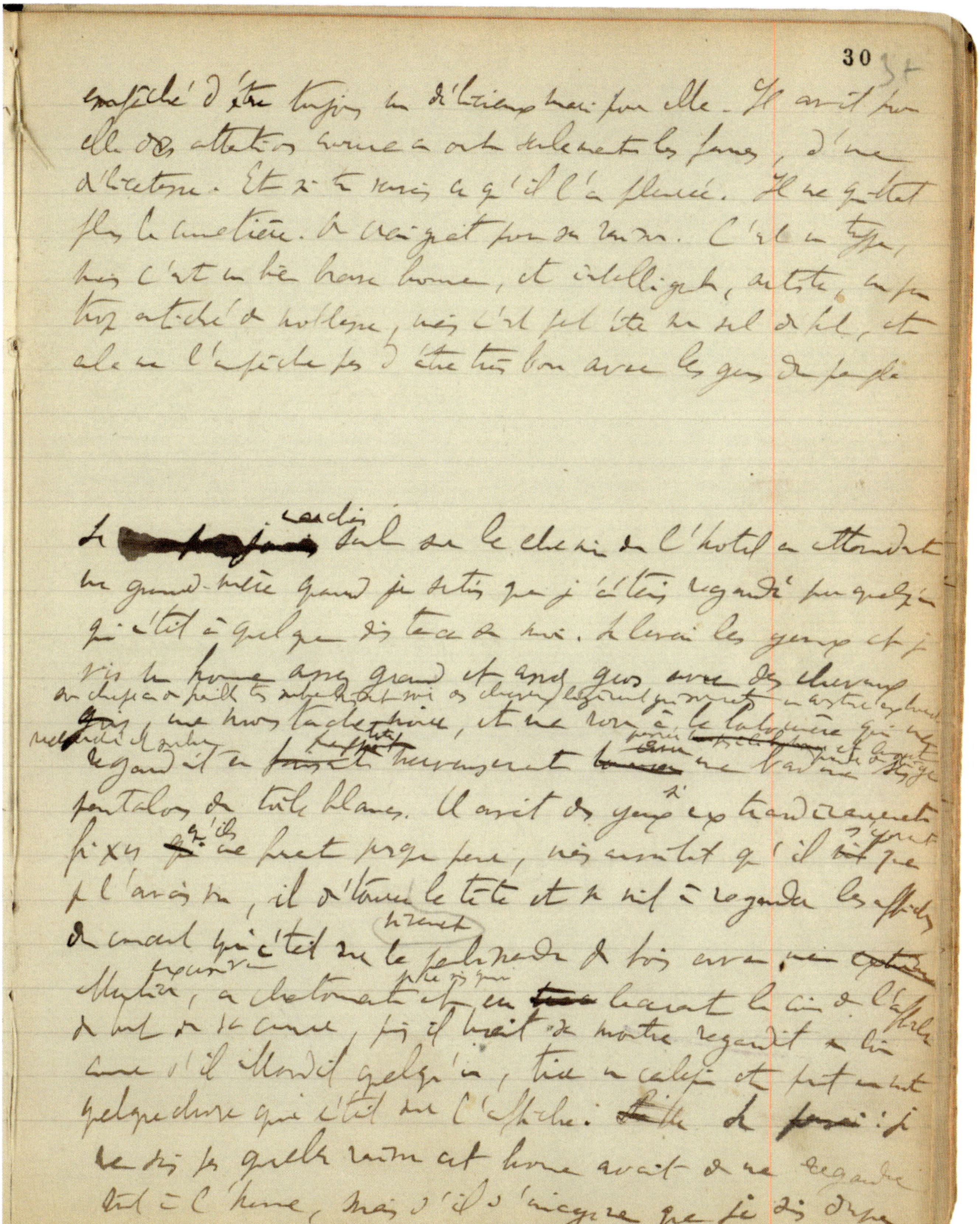

30

empêché d'être toujours un dilettante mais pour elle. — Il avait pour elle des attentions comme on en a seulement les femmes, d'une délicatesse. Et si tu savais ce qu'il l'a pleurée. Il ne quittait plus le cimetière. Il n'y [illegible] pour ses [illegible]. C'est un type, mais c'est un très brave homme, et intelligent, artiste, un peu trop entiché de noblesse, mais c'est peut-être son seul défaut, et cela ne l'empêche pas d'être très bon avec les gens du peuple

Je ~~[illegible]~~ restai seul sur le chemin de l'hôtel en attendant ma grand-mère quand je sentis que j'étais regardé par quelqu'un qui était à quelque distance de moi. Je levai les yeux et je vis un homme assez grand et assez gros avec des cheveux gris, une moustache noire, et une rose à la boutonnière qui me regardait en ~~[illegible]~~ frappant nerveusement ~~[illegible]~~ une badine son pantalon de toile blanche. Il avait des yeux extraordinairement fixes qu'il ne fermait presque pas, mais aussitôt qu'il s'aperçut que je l'avais vu, il détourna la tête et se mit à regarder les affiches du concert qui était sur la palissade de bois en avant, ~~[illegible]~~ attention, ostensiblement et en ~~[illegible]~~ levant la tête de l'affiche de haut en bas comme, puis il tirait sa montre regardait à la comme s'il attendait quelqu'un, tirait un calepin et prenait en note quelque chose qui était sur l'affiche. ~~[illegible]~~ de ~~[illegible]~~ : je ne sais pas quelle raison cet homme avait de me regarder tout à l'heure, mais s'il s'imaginait que je ne sais dispos[illegible]

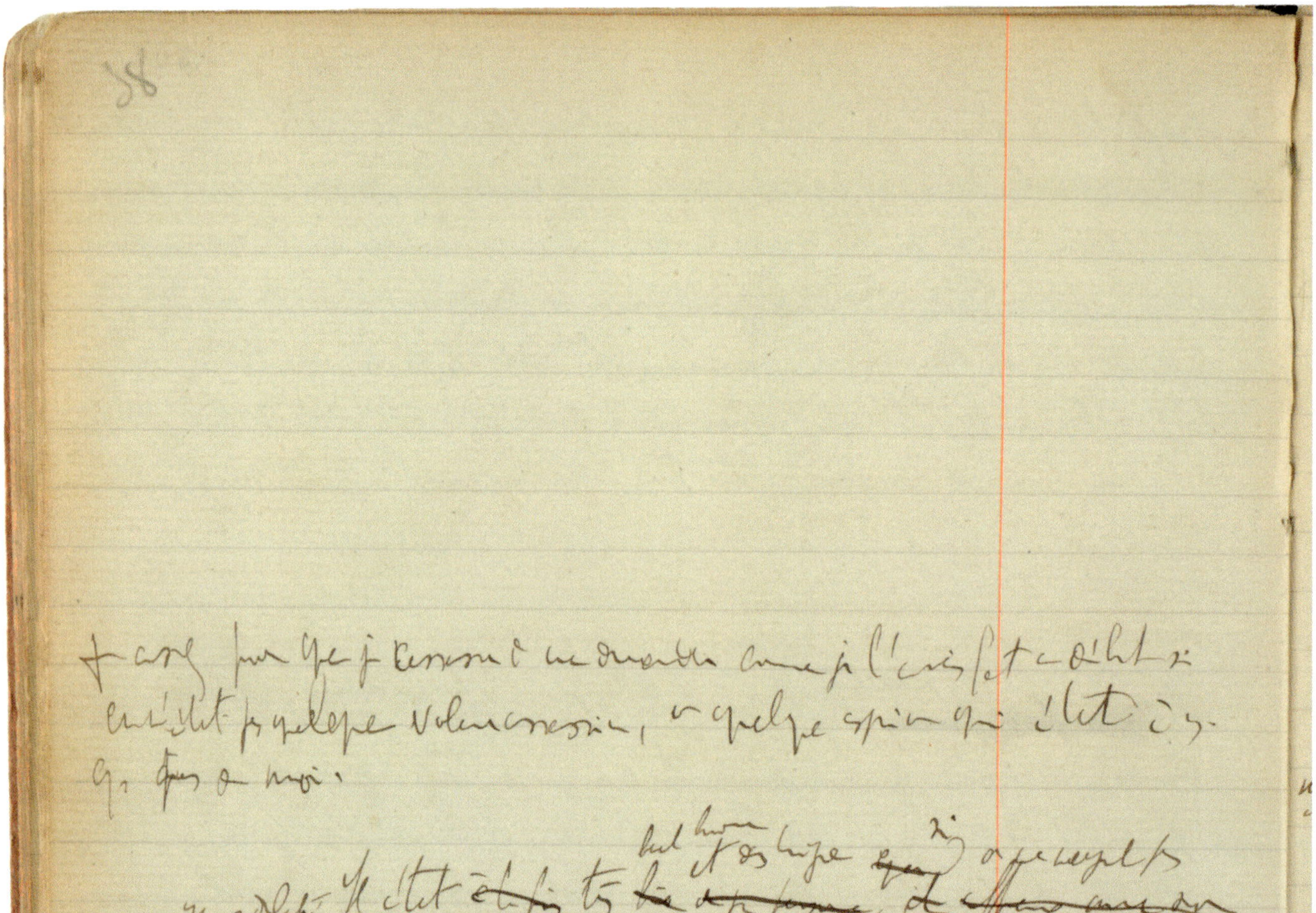

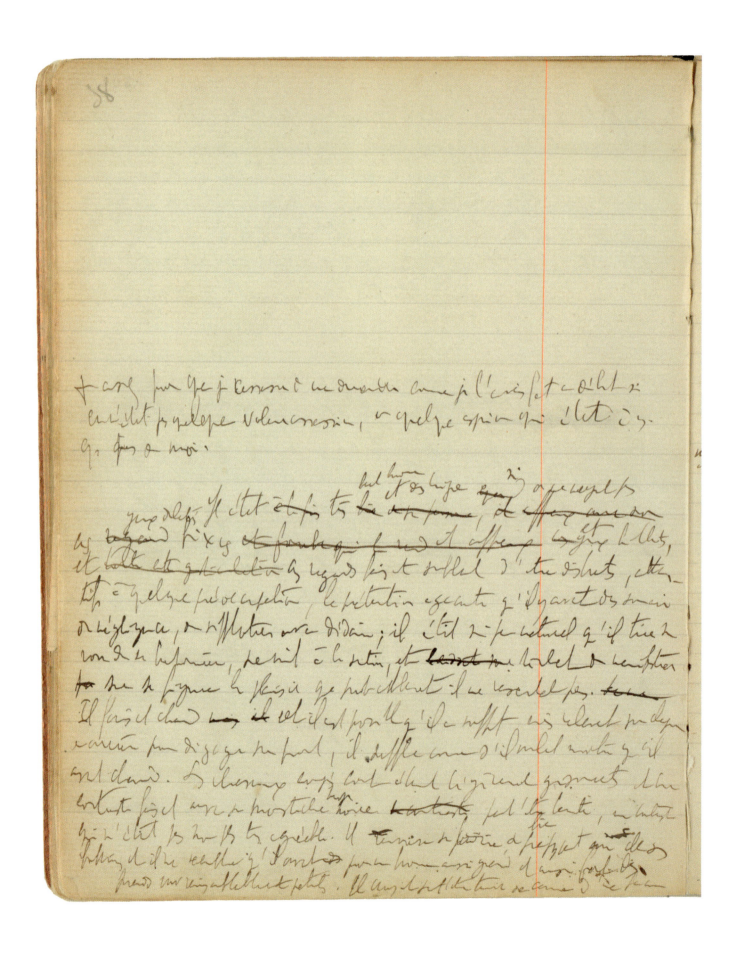

31

de la comédie qu'il jouait pour le moment il fallait qu'il me crût bien
bête. ~~Et de fait il avait~~ cru en effet fou, car il avait été à
montrer qu'il ne regardait pas de mon côté, à s'absorber dans
la lecture du programme et à épier l'arrivée au bout du
chemin d'une personne qui ne devait certainement pas venir
une attention ~~trop~~ ~~exagérée~~ [simulée, mimée avec trop d'exagération] pour que toute personne pensât
par là, et à plus forte raison moi qui avais surpris son regard
ne fût le témoin d'un tout autre chose que [illegible], ou
[illegible]. Cette impression d'une exaltation et de [illegible]
[illegible] avancer et mêler
[illegible], qu'il ne pouvait [illegible] qu'il paraissait
[illegible]
qu'il produisait et elle était si déplaisante qu'elle [illegible]
[illegible] d'atelier [illegible]
c'était un [illegible] assassin ou un espion. Il fit quelques
pas de long en large. [illegible] Bien que ses traits
eussent quelque chose de fort distingué, il était, avec
ses yeux brillants et qui faisaient l'effet d'être distraits,
sa démarche gesticulante, ses mouvements nerveux, son
exaltation visible, et sa négligence forcée, sa moustache
probablement teinte et sa rose de je ne sais [illegible] que [illegible]
[illegible] il approchait de son nez, avec une grimace de plaisir
des plus ridicules. J'espérais ma grand'mère, nous allions
faire quelques courses, et je hésitais à faire part à ma
grand'mère de mes craintes de tout à l'heure quand nous
vîmes se diriger de notre côté [le grand] trois personnes : Mme de
Villeparisis, le monsieur à la moustache teinte et Montargis

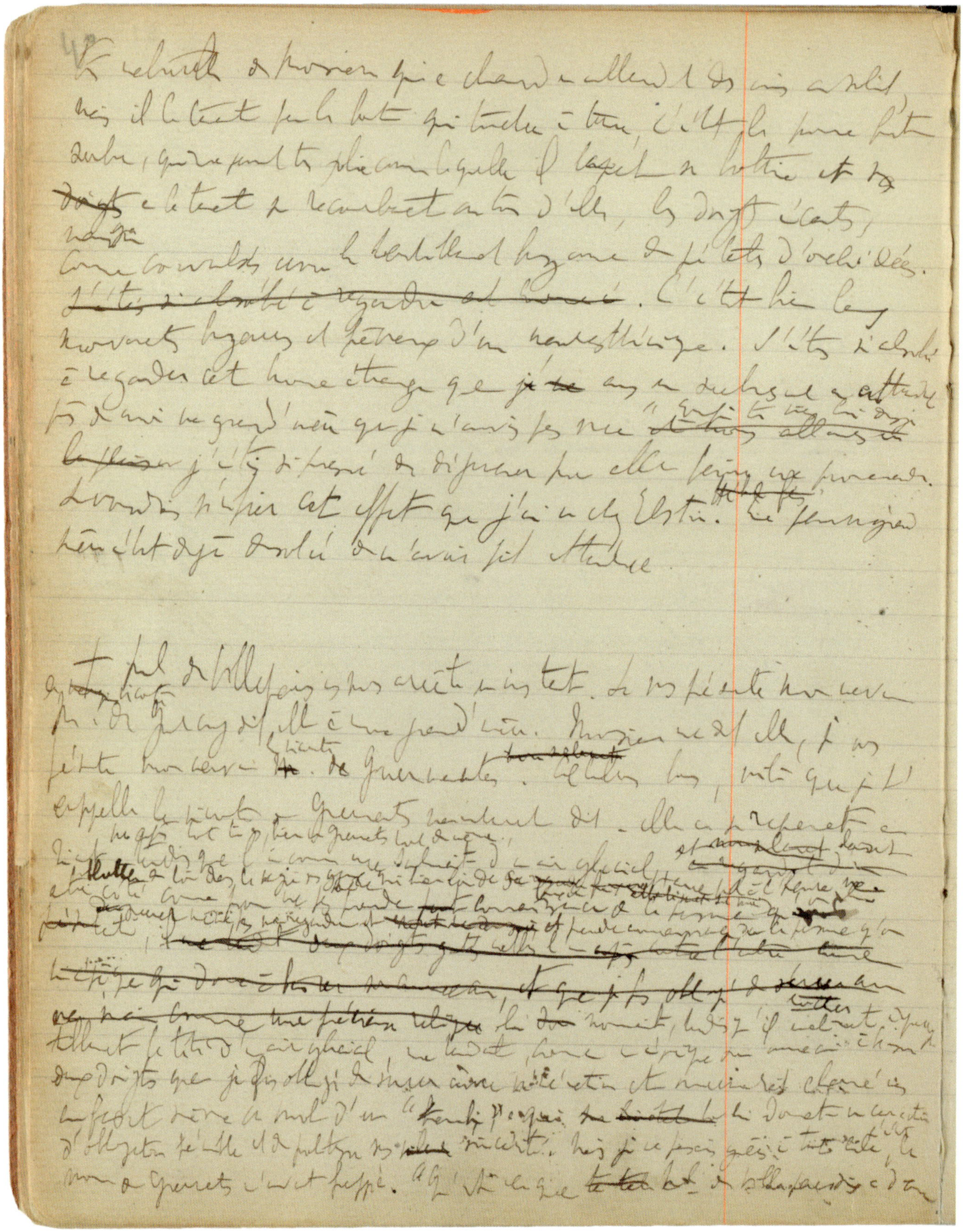

32 + son salon

le Comte qui c'était l'oncle Guercy dont Montargis m'avait
parlé il y a quelques jours. ~~Le jour suivant nous nous levâmes~~
nous saluâmes +. Et le soir nous étions montés dans la salle
de l'hôtel et de belle prairie nous présenta. M. de Guercy [et nous passions la soirée dans]
avait ~~[illegible]~~ entre autres choses bizarres celle-ci c'est
que dans la rue ses yeux brillants fixaient indifféremment
~~[illegible]~~ une personne ou une chose, ~~chez lui, chez des personnes~~
~~[illegible]~~ et dès qu'il était avec des personnes de connaissance,
chez lui, dans un salon, ses yeux, [éteints entre] entre leurs cils roux, ~~regardaient~~
~~les personnes~~ fuyaient les personnes sans jamais les regarder,
de sorte que quand on lui ~~disait~~ bonjour, comme aucun signe ne
témoignait qu'il vous avait [allait lui dire] vu, et que son regard était dans
une direction différente, on se préparait à appeler son attention [par quelque bruit] ~~[illegible]~~ au moment de s'en charger quand lui
mais à ce moment lui qui nous avait parfaitement vu,
nous tendait la main avec ~~[illegible]~~ une merveilleuse
grâce, d'allure pleine de bonté, sa belle main où le 4e
doigt se dérobait légèrement, comme dans la main d'un archevêque qui donne son anneau à baiser. Cette habitude de ne
pas ~~[illegible]~~ laisser supposer qu'il vous voyait ~~avait~~ eût été incompréhen-
sible chez un homme de passé, reçu dans le monde par
tolérance, et qui craignait [mauvais] qu'on ne lui rendît pas son bonjour
n'était pas une prudente expectative. Chez le marquis de Guercy
membre des comités des deux plus grands cercles de Paris, je
pense qu'il était attribuable au contraire à la volonté de
ne jamais dire bonjour le premier. Toujours est-il que cela

49

D'être un oncle lui dis-je a [illegible] Villeparisis [illegible] devant [illegible]. Elle l'a appelé
M. de Guermantes. Est-ce qu'il serait par hasard parent des Guermantes qui
ont le château de Guermantes près de Combray, ~~qui ont les portraits de tous les Guermantes~~ ~~qui descendent de Geneviève~~
~~[illegible]~~ qui descendent de Geneviève de Brabant.
Mais naturellement puisqu'il est leur parent [illegible]. Il est [illegible]
le fils du possesseur actuel. Mais comment avez-vous [illegible] château de Guermantes.
Est-ce que vous l'y avez jamais visité? "Non mais il paraît qu'il y a les
portraits de tous les anciens Guermantes" "Oui! [illegible]
[illegible] Guermantes et
[illegible]. Il y a là qui est [illegible]
[illegible] une admirable Delacroix.
[illegible]
[illegible] Villeparisis [illegible] Guermantes [illegible] "Comment [illegible]
[illegible] dit-il d'un air étonné. [illegible]
[illegible] Guermantes, [illegible] château de
Guermantes [illegible] Villeparisis, elle a été élevée
par elle et mariée par elle [illegible]
[illegible], M. de Villeparisis, aujourd'hui M. de Guermantes, [illegible]
[illegible] Villeparisis [illegible]
Villebon." "[illegible] Guermantes [illegible]
[illegible]
[illegible] M. de Guercoeur. Ah! il y a [illegible]
[illegible]." "[illegible] M. de Guercoeur
[illegible]
[illegible]

33 décelait le regard d'une autre
lui donnait tandis qu'il me parlait ~~[illegible]~~ personne qu'il avait vue,
marchands ~~ambulants~~ qui ~~[illegible]~~ tandis qu'ils vous détaillent
en plein vent
leur marchandise et vous détaillent leur boniment, regardent
ailleurs pour voir si la police, la "Rousse" ne va pas fondre
sur eux et les conduire au poste. Quand on me présenta
à M. de Guercy il me dit toujours d'un air tellement dégoûté
des ~~qu'il~~ ~~[illegible]~~ entraîner à parler d'autre chose à Mme
de Villeparisis que malgré que Montargis m'eût l'eût dépeint
comme très atteint de mollesse, je ne pouvais comprendre qu'il fût
cependant si impoli. Il ~~avait~~ me dit un bonjour glacial,
ne donna aucune amorce de conversation et d'un air si distrait qu'
il semblait probable qu'il ne pourrait pas se rappeler une minute après
que je lui avais été présenté. Je fus donc bien étonné
quand me rencontrant le lendemain au milieu de la foule des
personnes qui regardaient [illegible] et où je pensais qu'il était
si impossible à quelqu'un qui ne m'avait vu qu'une fois de
me reconnaître, il vint me dire, du même air glacial et
impertinent que Mme de Villeparisis me avait chargé(?) de
finir une promenade et que je fis bien de passer à l'hôtel, [illegible]
[illegible] toilette à faire [illegible], et [illegible]
[illegible] de tout [illegible] temps un ~~adieu~~ avec mise inintelligible
et [illegible]. C'était du reste un abîme de contradiction que M.
de Guercy. Dès les premiers mots que je lui entendis dire
je vis que sa grande prétention, son goût exclusif était à
ind ~~[illegible]~~ ~~[illegible]~~ mâle, viril, énergique. Il faisait des

44

~~Ce titre de Cte de Guermantes doit porter~~ avait porté c'est Prince des [illegible]. Seulement comme c'est un [illegible] il est pourvu de tous les principautés que ses parents [illegible], a pu [illegible] [illegible], et par protestation, entre les [illegible] qu'il pouvait [illegible], il a choisi celui de Baron ~~des~~ de Saint-Loup qui [illegible] particulièrement parce qu'il est un des plus anciens de la famille, qui lui donnait aux Guermantes [illegible] le droit de [illegible] les premiers barons de France. Mais mon jeune cousin, le fils de mon oncle, [illegible], pour plaire à [illegible] s'est fait appeler le Prince d'Agrigente. Oh ! c'est un bien pauvre [illegible] ! Montargis ne quitta [illegible] l'hôtel [illegible] de la belle [illegible] Mme de Villeparisis et Mme de Guercy qui cette fois [illegible] grand-mère. [illegible] d'abord [illegible] il était [illegible] elle [illegible] qui avait [illegible] de prendre avec moi et qu'il [illegible].

[illegible] je voulais lui dire bonjour mais je ne pouvais pas attraper [illegible] regard qui [illegible] [illegible] [illegible] [illegible] qui regardaient partout à la fois [illegible] ne [illegible] pas [illegible]. [illegible] je voulus alors lui dire bonjour, mais peut-être ne m'avait-il même pas reconnu ; j'allai cependant, et au moment où [illegible] il me dit bonjour [illegible] [illegible] ses yeux qui [illegible] [illegible] [illegible], il me tendit le bras [illegible] [illegible] [illegible] [illegible] la [illegible] parler à sa grand'mère [illegible] qu'il [illegible] [illegible] [illegible] tout le [illegible] avec sa grand'mère de

[illegible] de Charlus, [illegible] château qui [illegible] [illegible] [illegible] quelque temps [illegible] [illegible] [illegible] [illegible] [illegible].

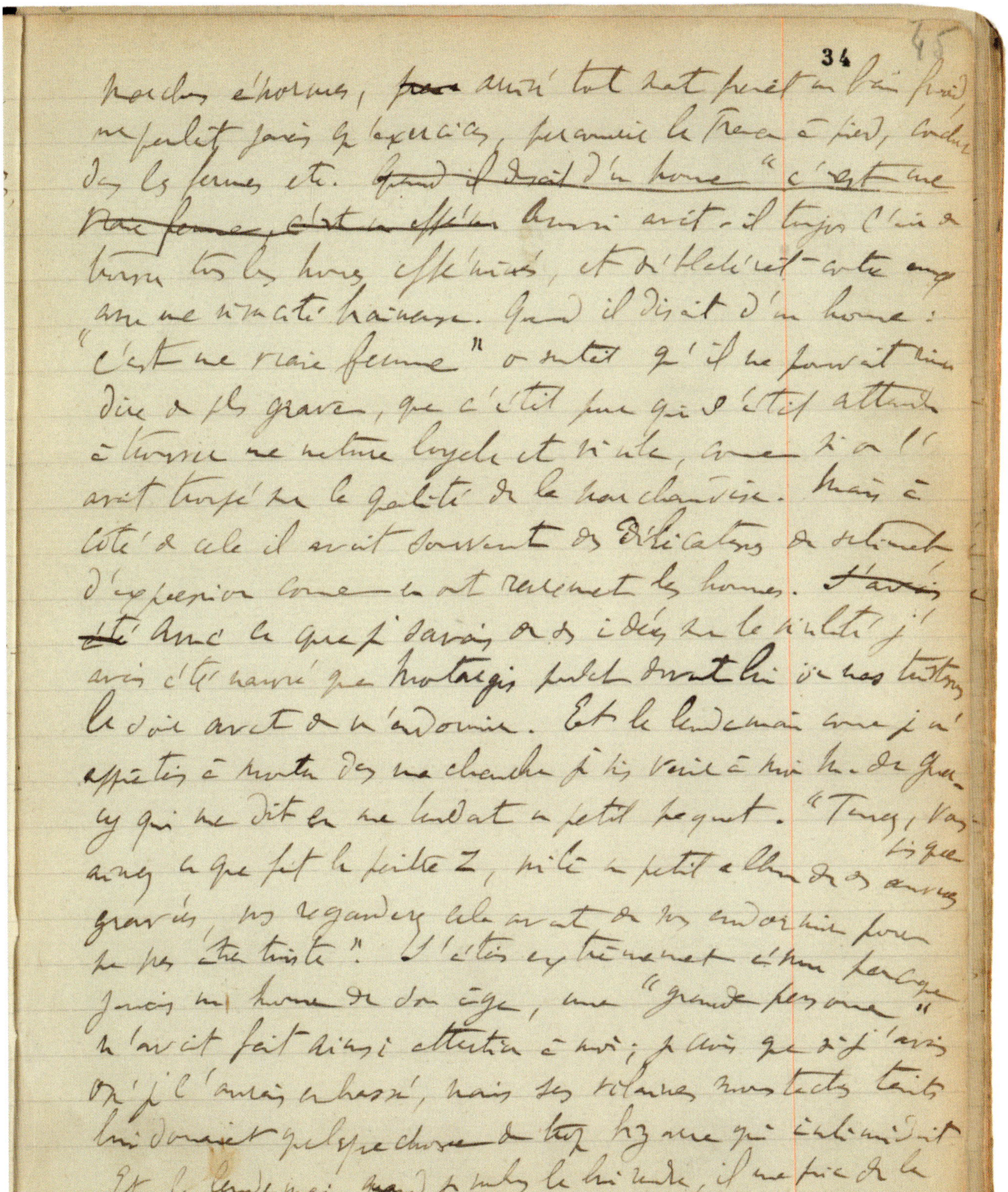

34

marchés énormes, ~~pour~~ aussi tout net paraît un bon froid
ne parlait jamais que d'exercices, promenade, le trot à pied, conduite
dans les fermes etc. ~~Quand il disait d'un homme « c'est une~~
~~vraie femme, c'est un efféminé~~ Aussi avait-il toujours l'air de
trouver tous les hommes efféminés, et d'établir entre eux
avec une sévérité haineuse. Quand il disait d'un homme :
« C'est une vraie femme » on sentait qu'il ne pouvait rien
dire de plus grave, que c'était pire qu'il s'était attendu
à trouver une nature loyale et virile, comme si on l'
avait trompé sur la qualité de la marchandise. Mais à
côté de cela il avait souvent des délicatesses de sentiment
d'expression comme en ont rarement les hommes. ~~J'avais~~
~~été~~ Avec ce que je savais de ses idées sur la virilité j'
avais été navré que Montargis parlât devant lui de mes tristesses
le soir avant de m'endormir. Et le lendemain comme je m'
apprêtais à monter dans ma chambre je vis venir à moi M. de Guercy qui me dit en me tendant un petit paquet. « Tenez, vous
avez ce que fait le peintre Z, voilà un petit album de ses anciennes
gravures, vous regarderez cela avant de vous endormir pour
ne pas être triste ». J'étais extrêmement ému parce que
jamais un homme de son âge, une « grande personne »
n'avait fait ainsi attention à moi ; je crois que si j'avais
osé je l'aurais embrassé, mais ses volumineuses moustaches teintes
lui donnaient quelque chose de trop bizarre qui m'intimidait
Et le lendemain quand je voulus le lui rendre, il me pria de le
garder en souvenir du plaisir qu'il avait eu à me connaître
comme si un homme de son âge et de son importance pouvait

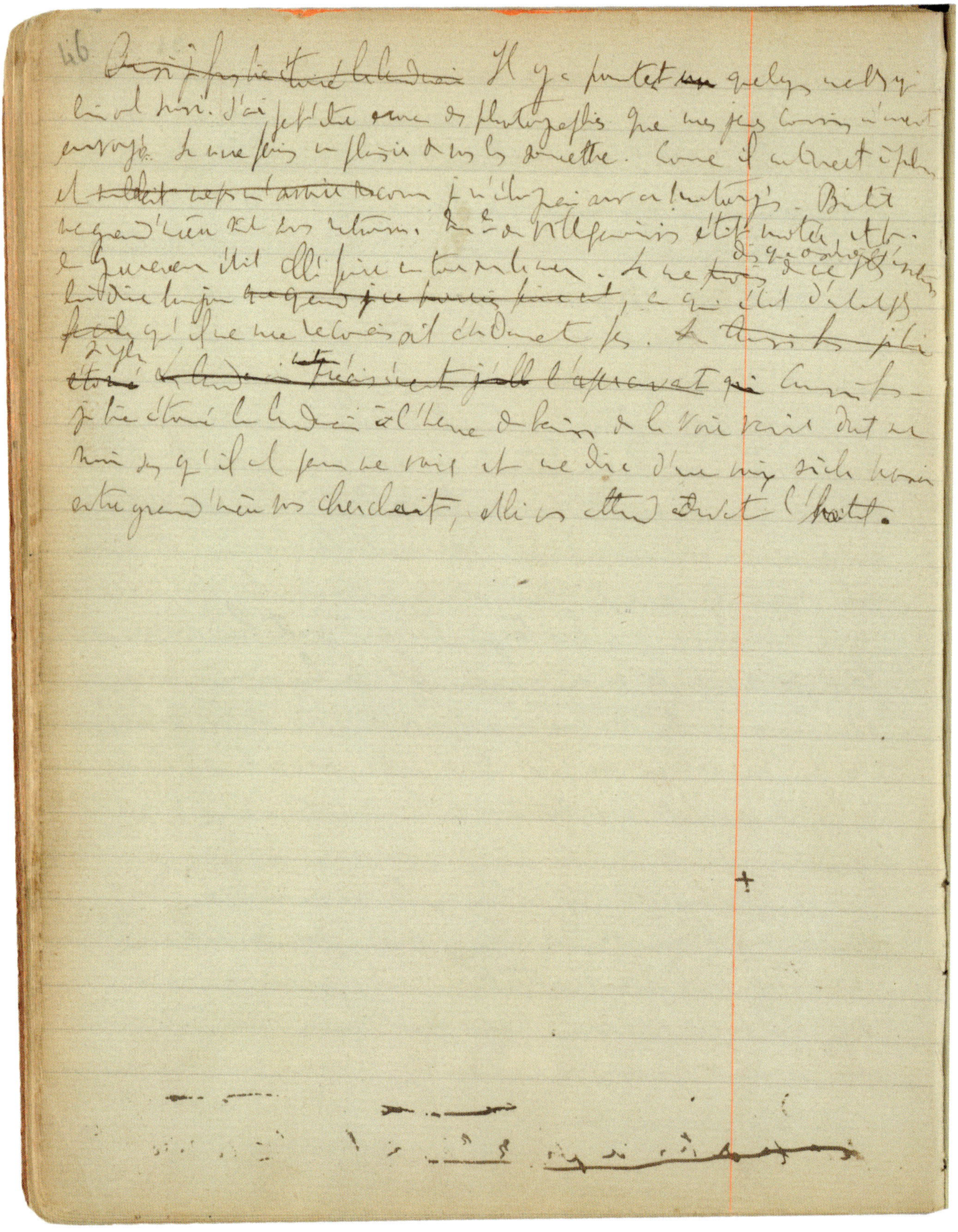

35 [illegible]

envie de plaisir à faire la connaissance d'un bastien comme moi.
Mais ce fut dit sans ironie, avec une de ces affectations délicates qui
démontraient de protection à la trop grande humilité, sans avoir l'
air de faire valoir son domaine le dépréciant plutôt. C'était
charmant. Ainsi quand il se laissait aller à causer un peu longtemps ~~t~~ on était surpris de le trouver très différent de ce qu'il
prétendait être. Je n'~~osais~~ [oserai] pas dire qu'il était efféminé puisque
c'était ce qu'il haïssait le plus, [ou] haïssait jusqu'à la rage, mais
enfin ~~on~~ à propos de tel trait touchant qu'il contait, ~~on~~
on commençait à entendre dans sa voix tout un chœur de
sœurs délicates, de mères passionnées, qui répondaient
avec effusion longue tendresse. Même parfois et c'était moins
agréable, quand la conversation était un peu éclatante, et il l'
était avec beaucoup d'esprit, on avait cru entendre au fond de
sa gorge, une [illegible] qui minaudait et ajoutait son [illegible]
avec des traits qui donnaient à sa voix à ce moment des tons
aigus et perçants. Mais c'était surtout son rire qui était un
vrai rire de coquette, si aigu que parfois on se regardait en l'
écoutant. Ses mains aussi, fort belles, de vraies mains de
femme avaient des mouvements nerveux, des nervosités, des
impatiences, semblaient un [illegible] et d'un ~~[illegible]~~ [illegible]
ne l'était, formaient une [illegible] et qui faisaient une
[illegible] mais non sans l'avoir longuement retiré d'
abord d'un air sérieux. ~~[illegible] grand [illegible]~~
~~[illegible]~~ [illegible] plus de « distinction ». Et ce rire était

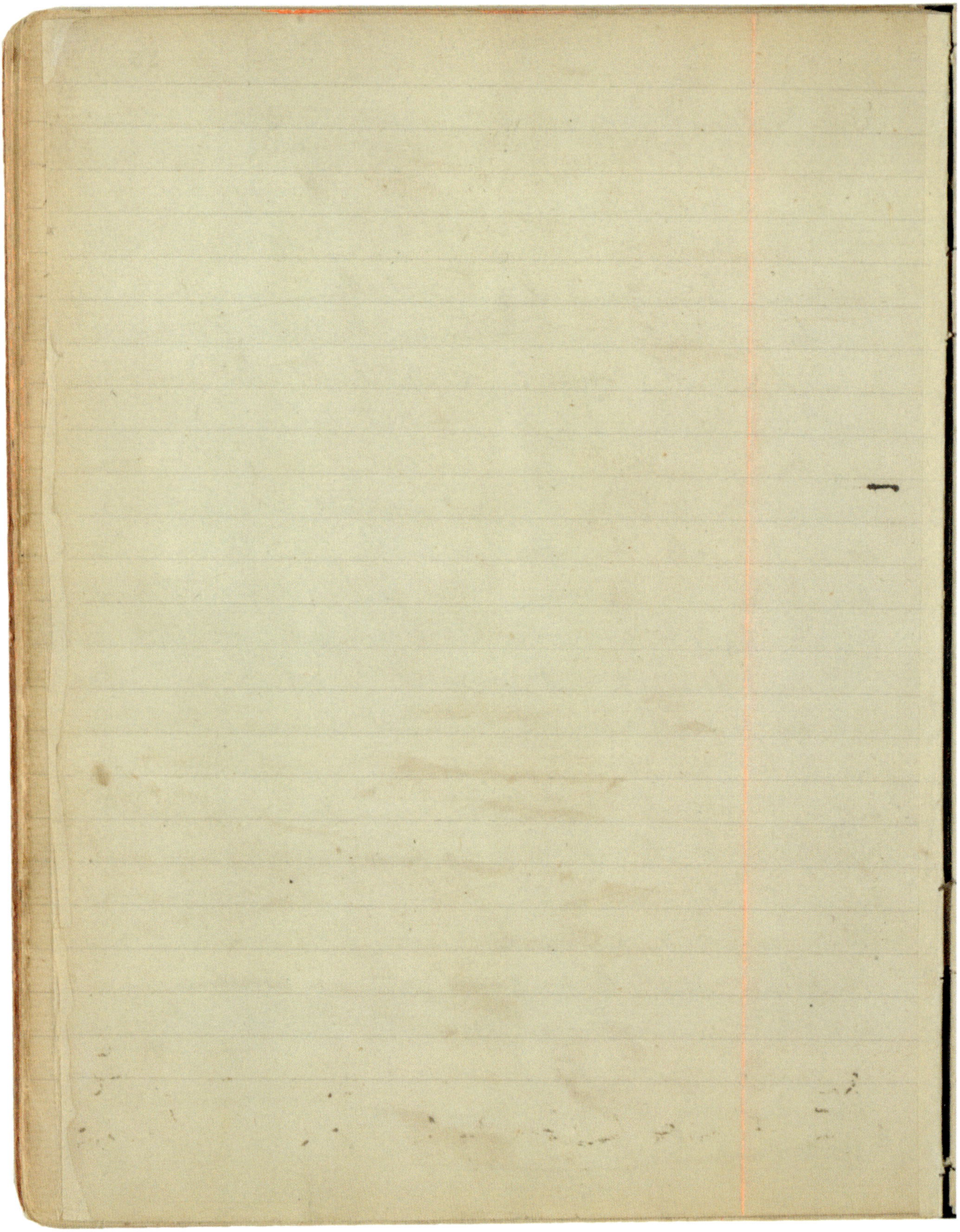

36 48

d'autant plus agaçant que par moments chez cet homme grave et
triste il ~~tout~~ s'échappait brusquement à propos de rien, des
gaîetés de petite folle, une agitation, une volupté de personnage
qui s'échappe. Et il avait des talents pour tout, il s'y
consacrait en toute bonne personne. Il jouait du piano des
soirs jamais assis comme une jeune fille qui "étudie" du
piano cinq heures par jour.
Ma grand'mère qui n'était pas susceptible de trouver plus de
distinction aux gens de noblesse qu'elle n'en trouvait des gens du monde
~~en trouvait bcp~~ trouva M. de Guercy "d'une extrême distinction
manières, attrait, tout en lui lui plut. ~~Elle sent~~ ~~Elle sent~~
Sans doute il lui marqua en deux ou trois endroits ~~de~~ l'insanité de
son orgueil aristocratique, mais moins déçue que ses sœurs, et
formée par mon grand-père à l'acceptation, au quel entier
de ses préjugés, ma grand'mère ne se choquait pas plus de l'air
de fin de quartier, que de [illegible]
elle l'avait trouvé plein de croyances à l'efficacité des
remèdes contre les rhumatismes. Cela lui plaisait en outre.
Elle savait parfaitement que M. de Guercy n'aurait pas fait d'
elle sa relation habituelle mais elle ne lui en voulait pas pour ça,
elle ne l'avait pas désiré. Rien ne permet plus facilement de
se plaire et de s'amuser impartialement du spectacle
de l'orgueil aristocratique que d'être aussi absolument
dénué de snobisme que l'était ma grand'mère et tout
le petit monde familial dans lequel j'ai été élevé. Mais

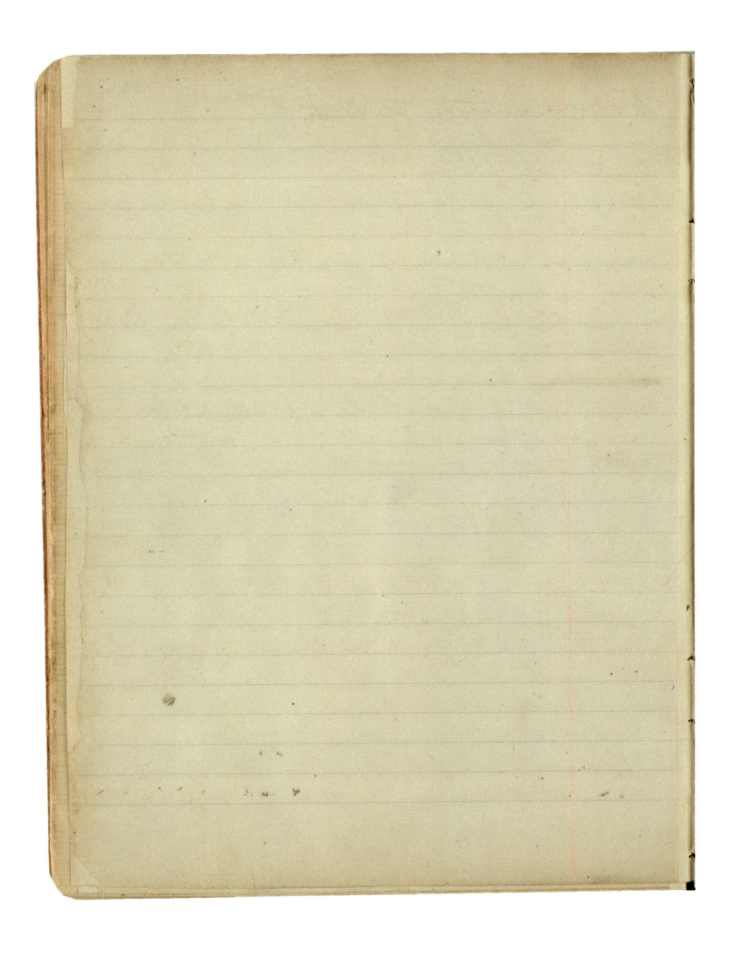

49 37

ils avaient d'interminables conversations sur le voyage, sur la voiture, sur ~~[illegible]~~ la vie de touriste à pied ; sur ~~[illegible]~~ les voyages que cela permettait dans les parties les plus inaccessibles de la Bretagne et de l'Auvergne, ~~voyant la vie de paysan~~ couchant dans les fermes ou dans les châteaux, comme un paysan ou comme un seigneur, jamais dans les plages ou villes d'eaux, comme un stupide parisien. C'était une grande exception que M. de Guercy avait faite en venant cette année dans une de ces plages qu'il détestait ~~de~~ de Villeparisis. Encore cette plage lui déplaisait-elle moins que les autres plages : sa tante elle gardait une vieille ville de nobles et de pêcheurs et c'est dans la vieille ville qu'il se retirait souvent le soir quand il avait quitté souvent fort tard sa tante Villeparisis. Le peu de temps que M. de Guercy resta à xx ne lui permit d'avoir avec ma grand'mère que deux ou trois conversations mais il fut fort aimable et lui conseilla, comme ~~notre~~ notre installation à l'hôtel devenait difficile à cause des hostilités qu'y avait ma grand'mère ~~en~~ faisant ouvrir toutes les fenêtres, de louer dans une de ces vieilles maisons d'anciens armateurs ~~qui~~ étaient charmantes. Il amena même ma grand'mère en visiter une où on avait loué deux étages et ma grand'mère revint tellement enthousiasmée par cette maison et d'autre part qu'elle voulait quitter l'hôtel tout de suite.

Bien que François eût très bien fait la cuisine c'était une

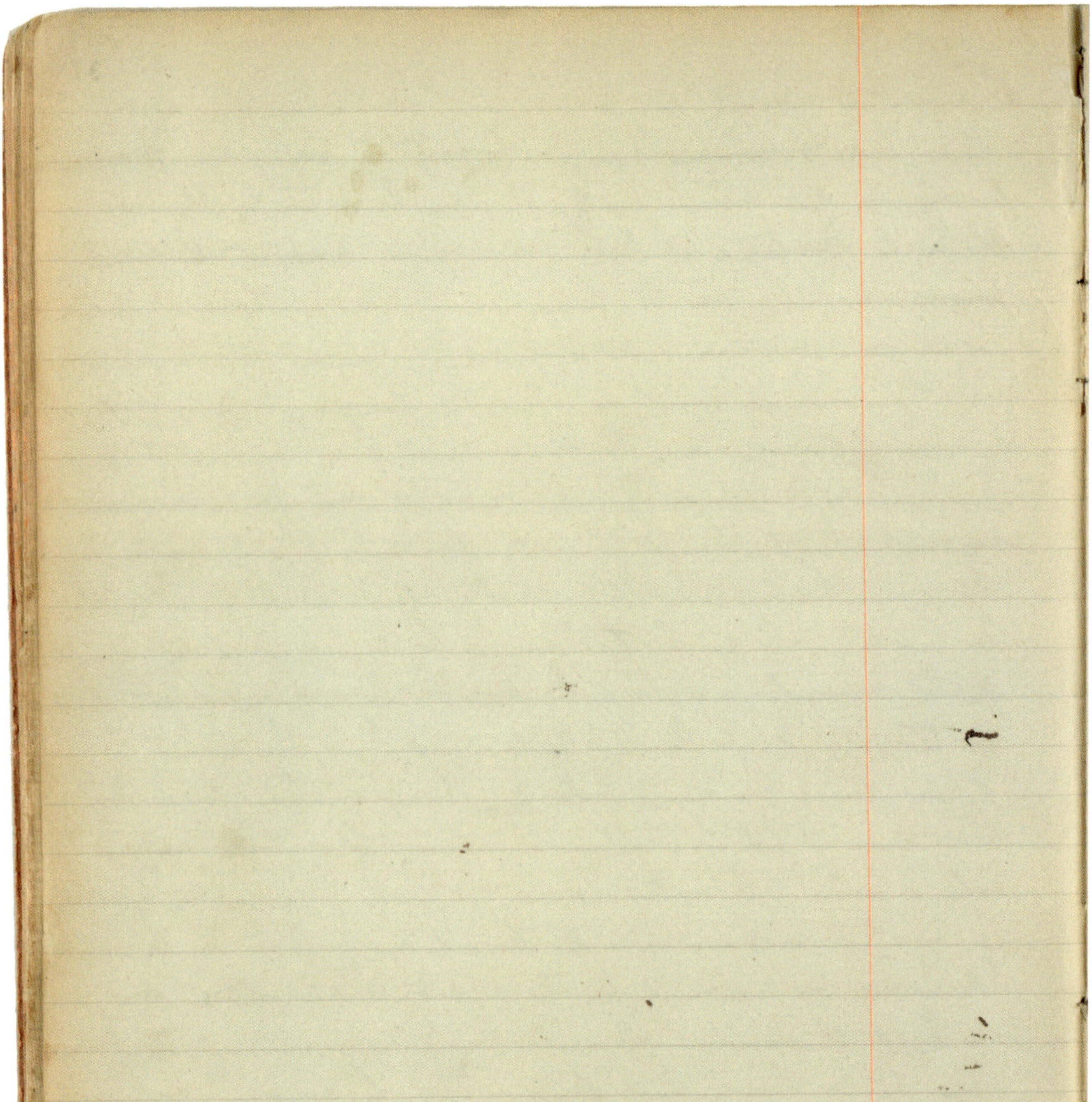

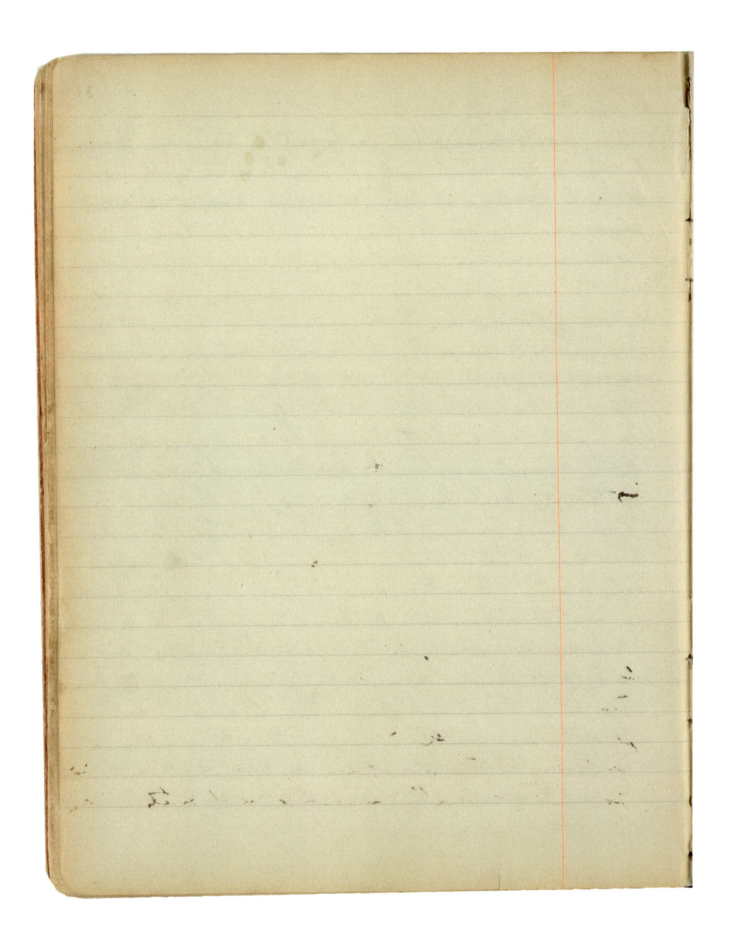

38 50

~~les~~ les grandes dépenses tout de même, mais ma grand'mère qui était d'une économie ridicule pour toutes les dépenses somptuaires et qui nous laissait sortir comme des enfants de malheureux, n'épargnait rien de ce qui était bon pour la santé, propre à former le cœur et l'esprit, ou à éclaircir des souvenirs. Et la vie dans cette petite maison de campagne (cette famille) du XVIIIe siècle qui ~~à~~ dans cette époque "Il vivait noblement" c'est à dire en noble, en ayant aussi le commerce, l'achetait en tant qu'elle disait que ce serait à venir auprès à T pour y habiter, que cela pouvait le goût des enfants, c'était un délice. Enfin M. de Guercy fut charmant pour ma grand'mère. Il faut dire que s'il était très désagréable avec les hommes, il était charmant avec les femmes. ~~Il disait ... du mal des femmes et ne disait ...~~ Lui qui disait tant de mal des hommes, et ~~[illegible]~~ doutait de ceux qui "n'étaient de vraies femmes" il ne disait jamais des femmes et ~~[illegible]~~ voyait tout en rose à leur sujet. ~~Il~~ Dès qu'on parlait d'un jeune homme il disait c'est une petite coquine, c'est une petite horreur c'est un garçon à ne pas fréquenter. Il parlait des jeunes gens avec une sorte de haine, avec cette violence que certains hommes qui ont souffert par l'amour ont quand ils parlent des femmes qui à leurs yeux sont toutes des coquines. Au contraire il était charmant avec les femmes, ne s'occupait que d'elles, les conseillait jusque dans les petits détails de leur

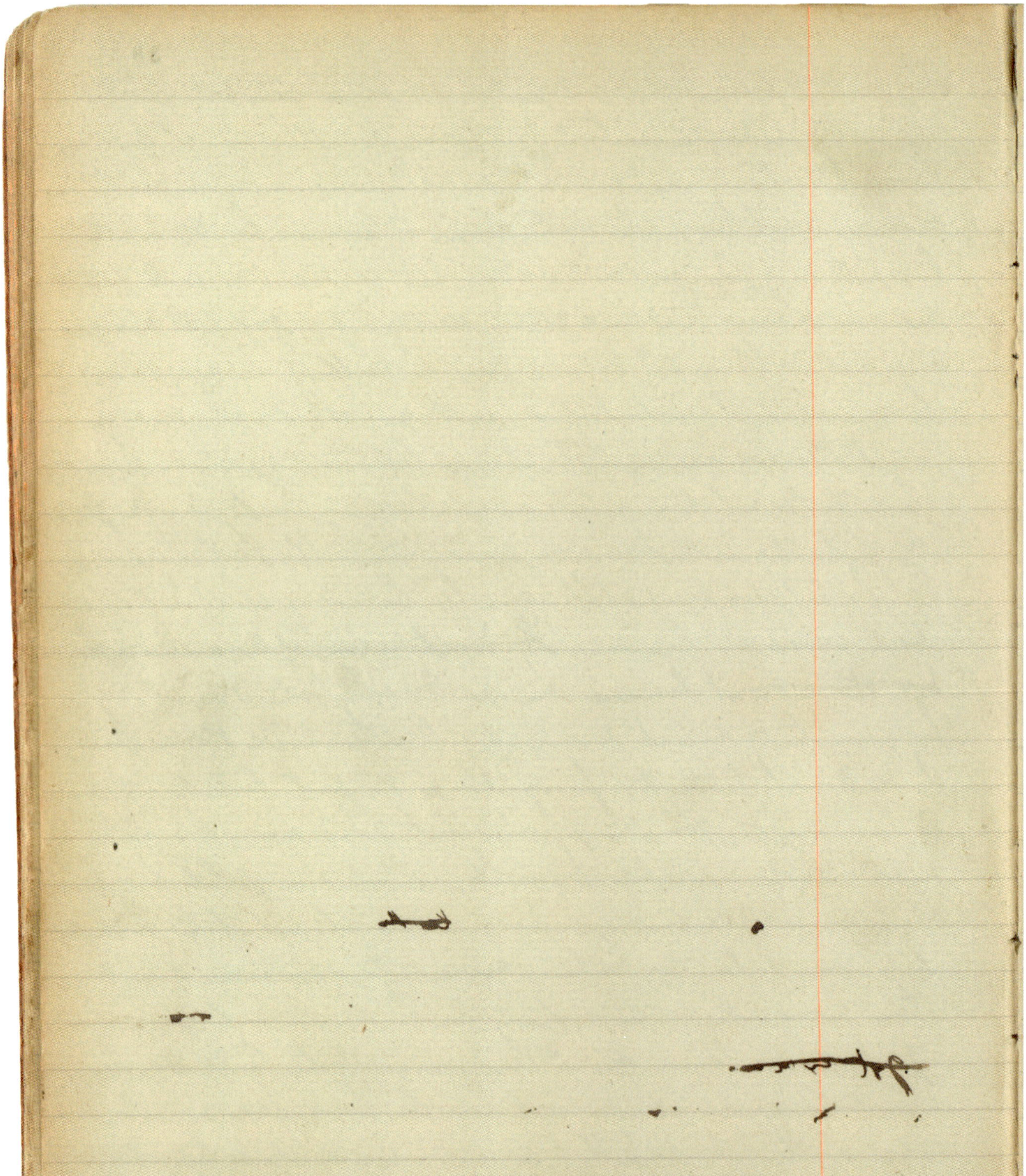

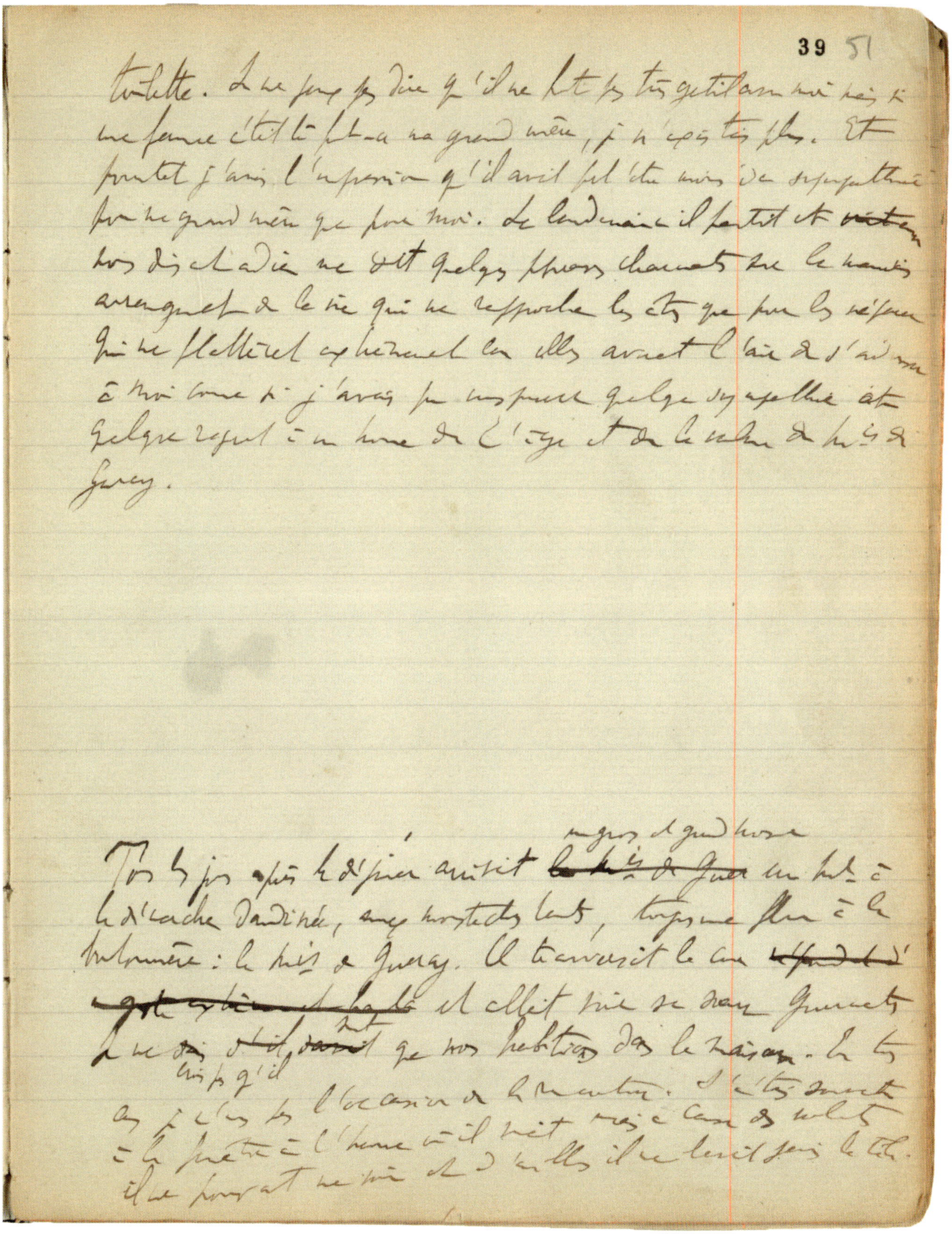
39 51

toilette. Je ne peux pas dire qu'il ne fut pas très gentil avec moi mais si une femme était là surtout ma grand-mère, je n'existais plus. Et pourtant j'avais l'impression qu'il avait peut-être moins de sympathie pour ma grand-mère que pour moi. Le lendemain il partit et ~~[illegible]~~ en nous disant adieu me dit quelques phrases charmantes sur les moindres arrangements de la vie qui ne rapprochent les êtres que par les hasards qui me flattèrent extrêmement car elles avaient l'air de s'adresser à moi comme si j'avais pu inspirer quelque sympathie à [illegible] quelque regret à un homme de l'âge et de la culture de M. de Guercy.

Tous les jours après le déjeuner arrivait ~~le M. de Guercy~~ un gros et grand homme [illegible] à la [illegible], [illegible], toujours une fleur à la boutonnière : le M. de Guercy. Il traversait la cour ~~[illegible]~~ ~~[illegible]~~ et allait voir ses deux [illegible]. Je ne sais s'il ~~savait~~ [illegible] que nous habitions dans la maison. Le très [illegible] lorsqu'il [illegible] l'occasion de le rencontrer. Il était très [illegible] [illegible] à la fenêtre à l'heure où il venait mais à cause des toilettes [illegible] d'elles il ne levait pas la tête. il ne pouvait me voir [illegible]

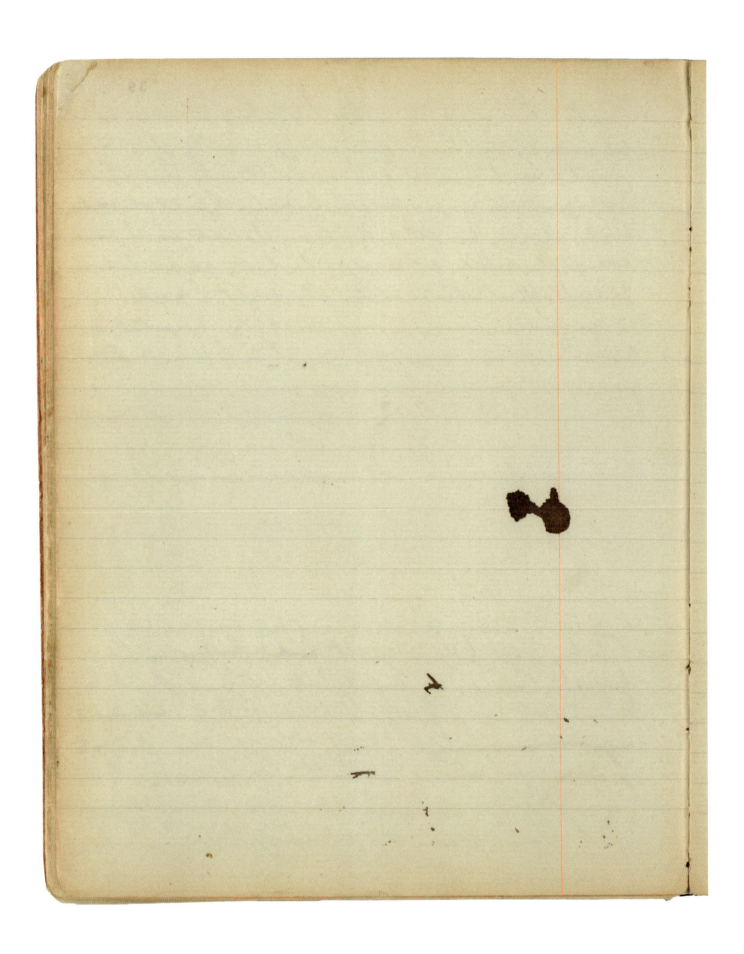

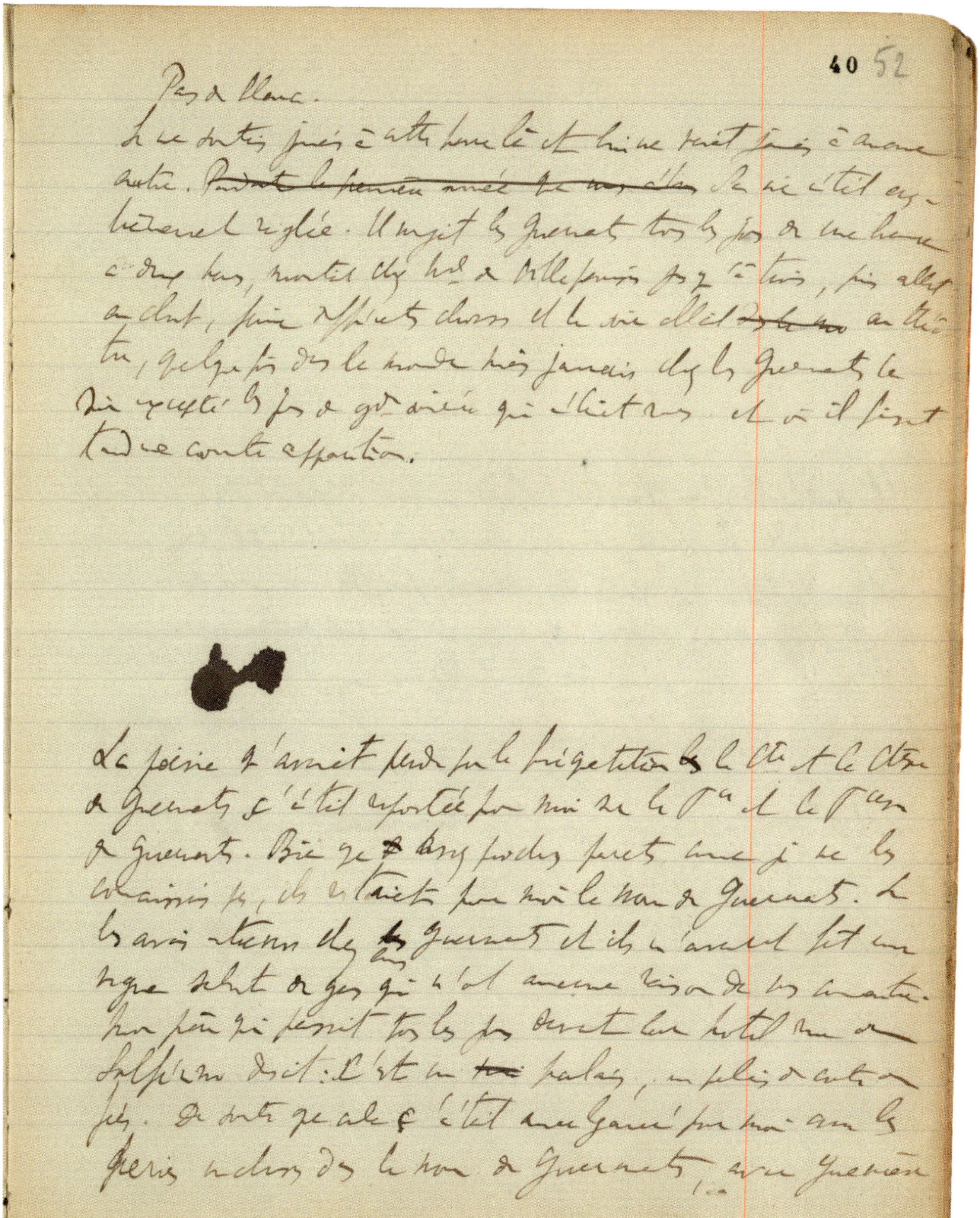

40 52

Pas de blanc.

Je ne sortais jamais à cette heure là et lui ne venait jamais à aucune autre. ~~Pendant la première année de mes élans~~ Sa vie était agréablement réglée. Il quittait les Guermantes tous les jours de une heure à deux heures, montait chez Mme de Villeparisis pour y thé tous, puis allait au club, faire d'autres choses et le soir allait ~~je ne sais~~ au théâtre, quelquefois dans le monde mais jamais chez les Guermantes le soir excepté les jours de grand dîner qui étaient rares et où il faisait tard une courte apparition.

La poésie qu'avait perdue pour la fréquentation ~~du~~ le Cte et la Ctesse de Guermantes s'était reportée pour moi sur le Pce et la Pcesse de Guermantes. Bien que ~~ces~~ deux proches parents comme je ne les connaissais pas, ils restaient pour moi le nom de Guermantes. Je les avais rencontrés chez ~~les~~ les Guermantes et ils m'avaient fait un signe de salut de gens qui n'ont aucune raison de se connaître. Mon père qui passait tous les jours devant leur hôtel rue de Solférino disait : c'est un ~~vrai~~ palais, un palais de conte de fées. Je doutais que celle qui était aussi Guermantes pour moi que les poésies encloses dans le nom de Guermantes, avec Guermantes

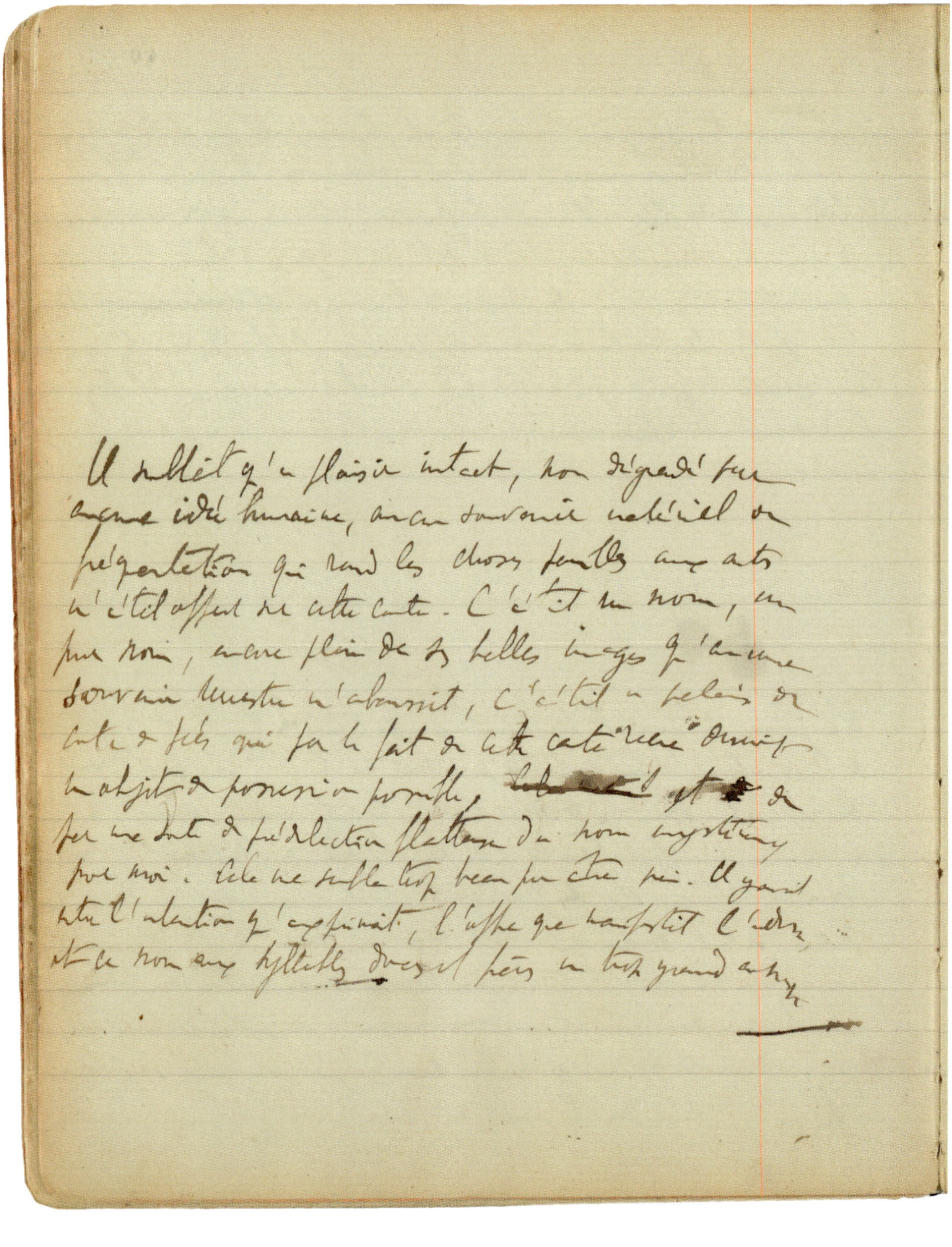
Il semblait qu'un plaisir intact, non dégradé par aucune idée humaine, aucun souvenir matériel ou présentation qui rend les choses pareilles aux autres n'était offert de cette carte. C'était un nom, un pur nom, encore plein de ces belles images qu'aucun souvenir terrestre n'abaissait, c'était un palais de contes de fées qui par le fait de cette carte-lettre devenait un objet de possession possible, ~~[illegible]~~ et de par une sorte de prédilection flatteuse du nom mystérieux pour moi. Cela me semblait trop beau pour être vrai. Il y avait entre l'intention qu'exprimait, l'appel que manifestait l'adresse et ce nom aux syllabes douces et pures un trop grand abîme

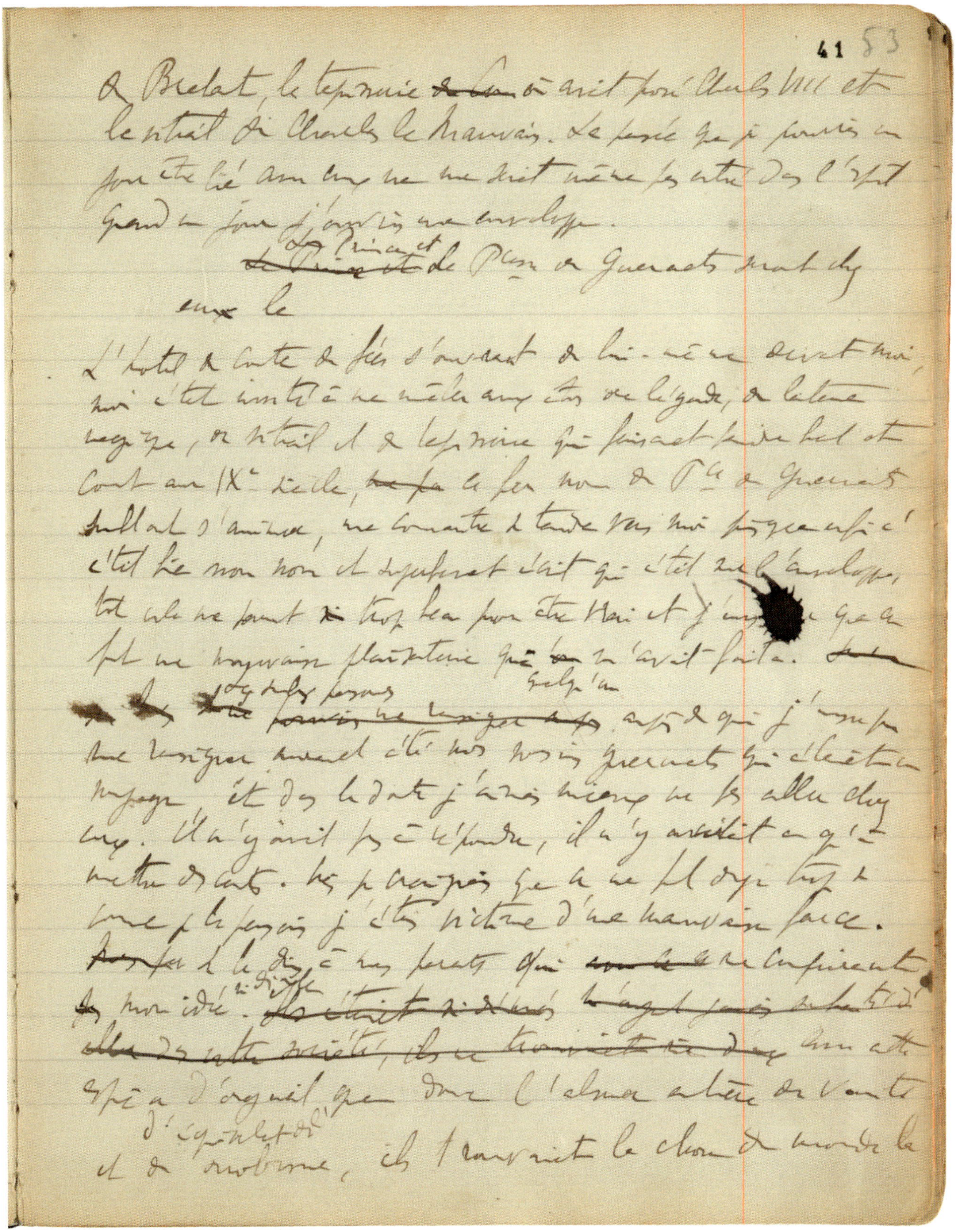

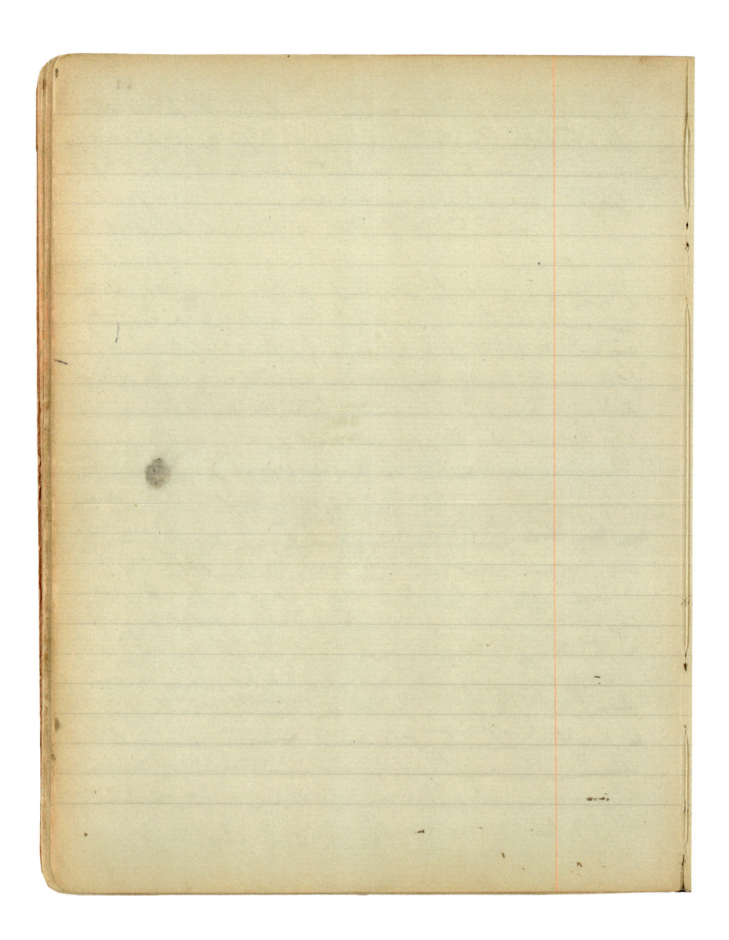

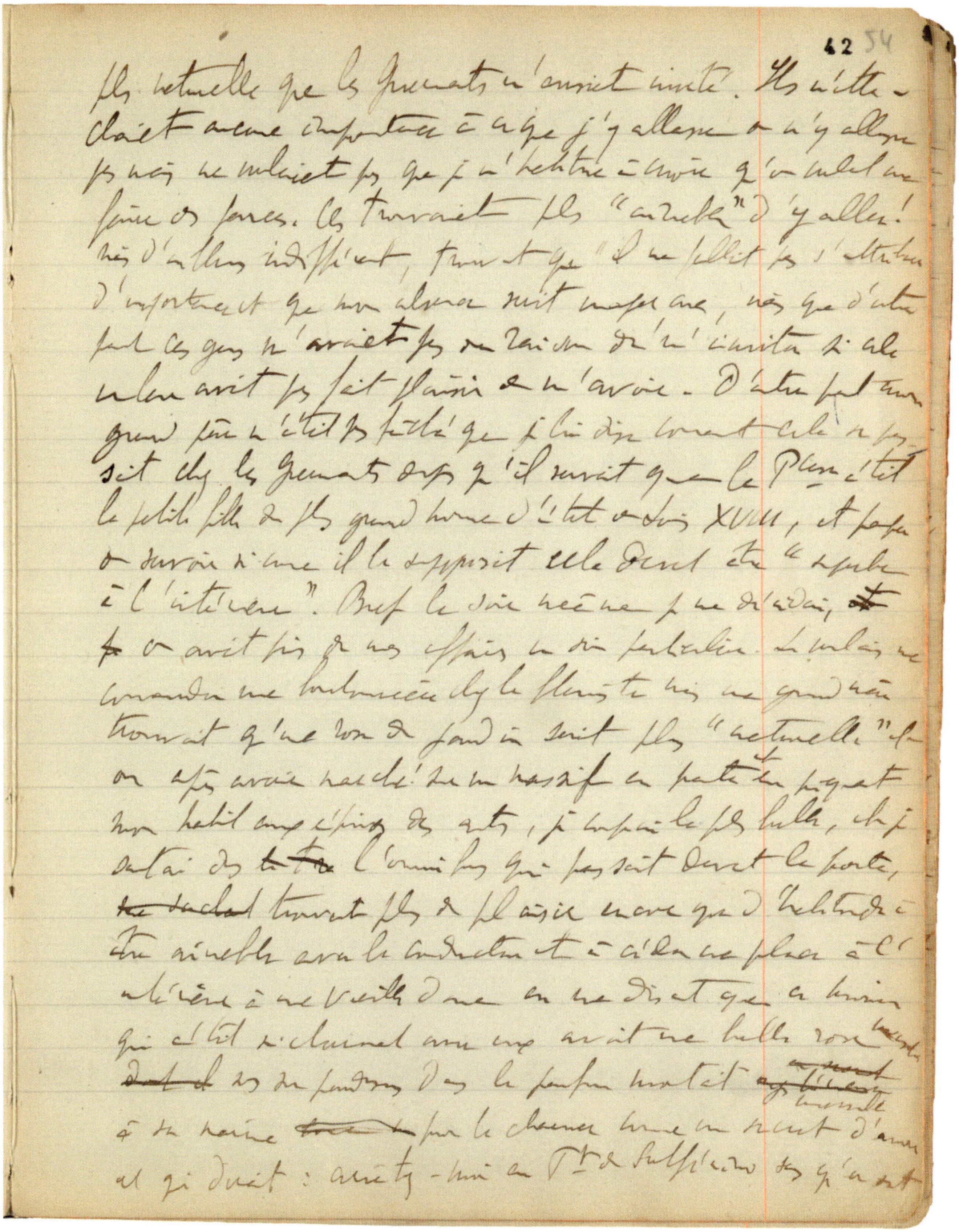

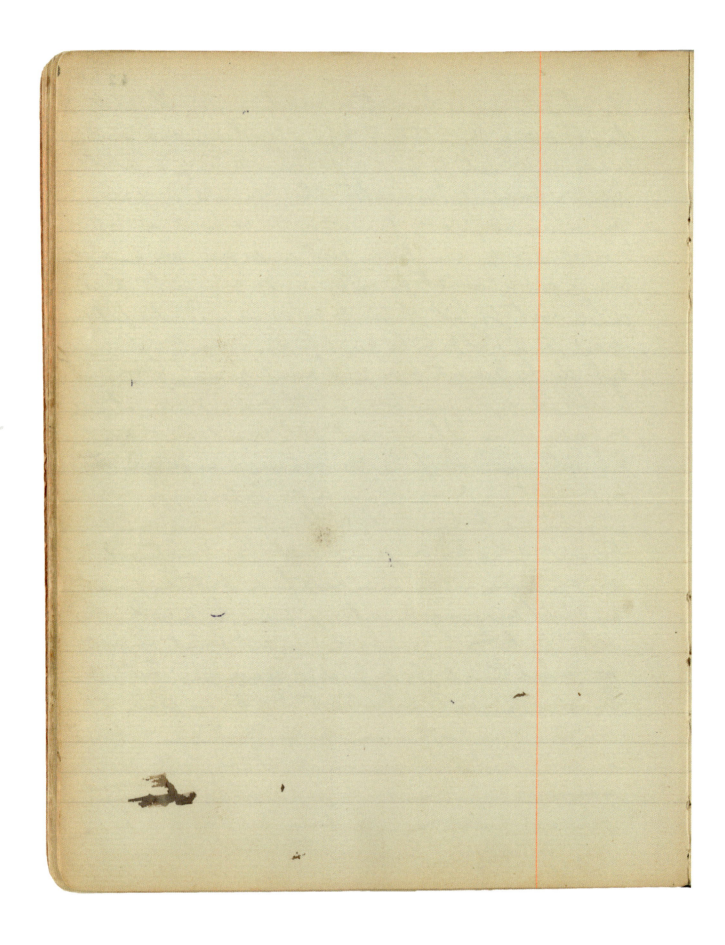

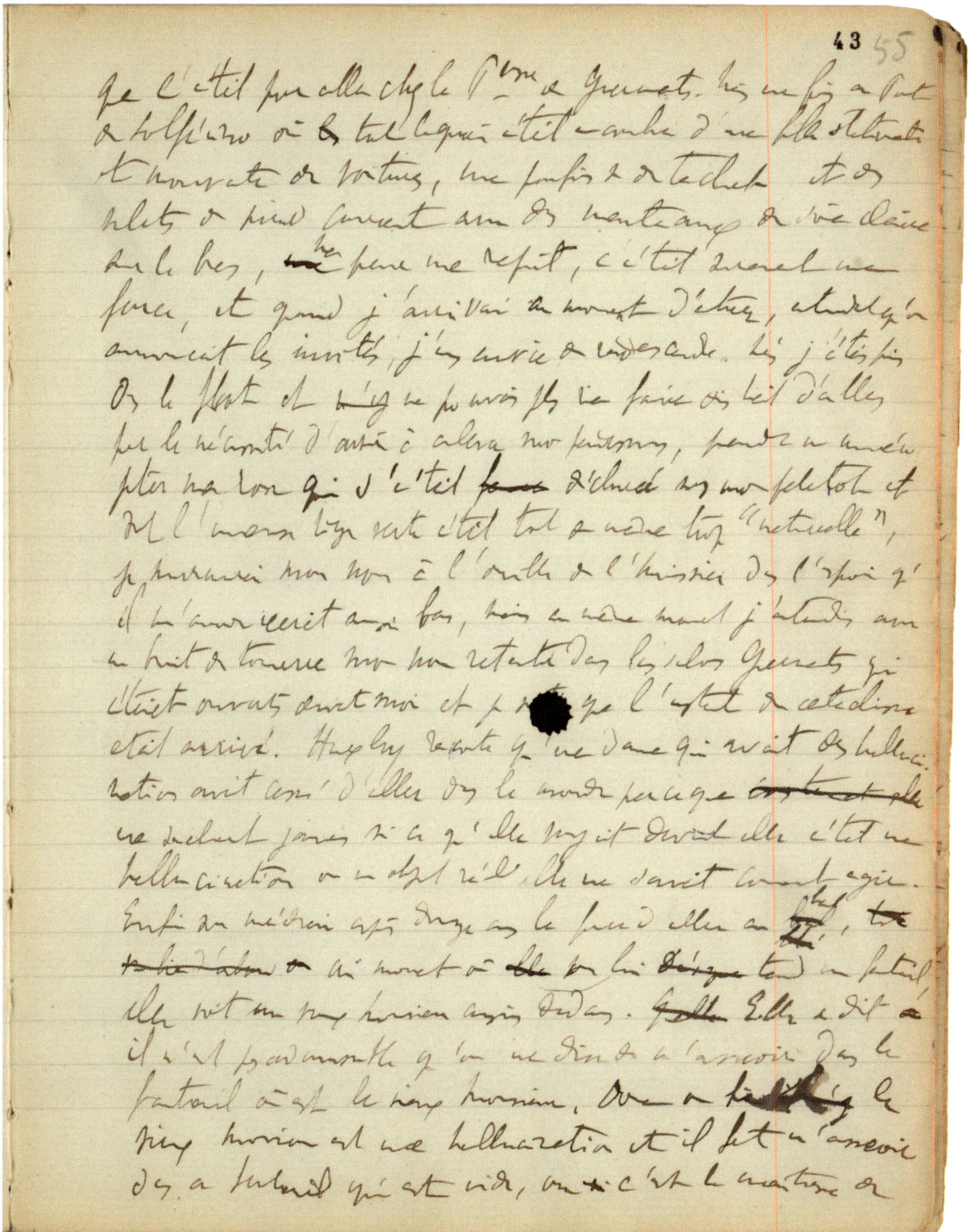
43 55

que c'était pour aller chez la Psse de Guermantes. Mais une fois au Pont
de Solférino où toute la queue était arrêtée d'une file stationnante
et mouvante de voitures, [illegible] et des
valets de pied courant avec des manteaux de soie claire
sur le bras, une peur me reprit, c'était avec une
force, et quand j'arrivai au moment d'entrer, attendu qu'on
annonçait les invités, j'eus envie de redescendre. Mais j'étais pris
dans le flot et [illegible] je ne pouvais plus me [illegible] d'aller
par [illegible], pendant un moment
[illegible] qui s'était [illegible]
et l'[illegible] était tout de même trop "naturelle",
je murmurai mon nom à l'oreille de l'huissier dans l'espoir qu'
il ne l'annoncerait aussi bas, mais au même moment j'entendis avec
un bruit de tonnerre mon nom retentir dans les salons Guermantes qui
étaient ouverts devant moi et je sentis que l'instant de cette chose
était arrivé. Huxley raconte qu'une dame qui avait des hallucinations
avait cessé d'aller dans le monde parce que [illegible]
ne savait jamais si ce qu'elle voyait devant elle c'était une
hallucination ou un objet réel, elle ne savait comment agir.
Enfin son médecin après dix ans la força d'aller au bal, [illegible]
[illegible] au moment où [illegible] on lui désigna un fauteuil
elle vit un vieux monsieur assis dedans. [illegible] Elle se dit :
il est probable qu'on ne dira de m'asseoir dans le
fauteuil où est le vieux monsieur. Ou bien [illegible] le
vieux monsieur est une hallucination et il faut m'asseoir
dans ce fauteuil qui est vide, ou [illegible] c'est le contraire de

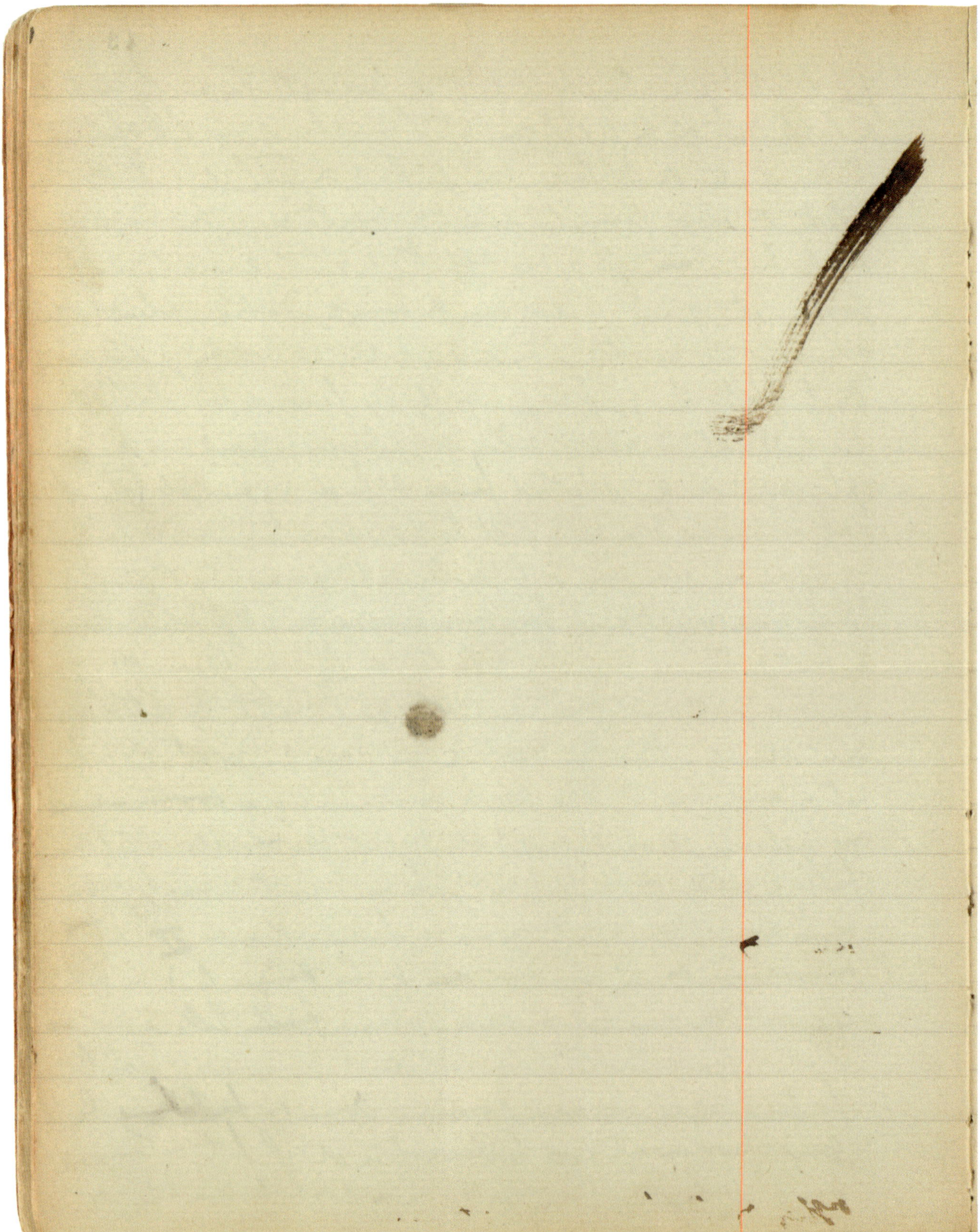

44 56

de maison qui me trouve le fauteuil qui est une hallucination et il
ne fait pas que je n'essaye sur le vieux monsieur. Elle n'avait qu'une
seconde pour se décider, et pendant cette seconde comparait le
visage du vieux [illegible] et celui de la maîtresse de maison qui
lui paraissaient tous les deux aussi réels, sans qu'elle pût
plutôt penser que c'était l'un que l'autre qui était l'hallucination. Enfin vers la fin de la seconde qu'elle avait pour se décider
elle crut à je ne sais quoi que c'était peut-être plutôt le
vieux [illegible] qui était une hallucination. Elle s'assit, il n'y
avait pas de vieux monsieur, elle poussa un [illegible] de
soulagement et fut à jamais guérie. Si je n'étais que ~~peut~~ [illegible]
[illegible] être la seconde de la [illegible] dans [illegible] le
fauteuil, elle ne fut pas peut-être pas plus [illegible] que le [illegible]
[illegible] à l'orée des salons Guermantes j'étais ~~de la [illegible]~~ lancé par
d'un huissier ~~[illegible]~~ gigantesque [illegible] mon nom [illegible]
comme un tonnerre [illegible] et ~~[illegible]~~ [illegible]
[illegible] dans les salons Guermantes, et venant tout à [illegible]
avançant d'un air naturel pour ne pas ~~[illegible]~~ ~~[illegible]~~ qu'il
y avait mauvaise farce de quelqu'un [illegible] avait pu [illegible]
je ~~tins~~ les yeux ~~[illegible]~~ [illegible] la Princesse de Guermantes par moi. [illegible]
~~[illegible]~~ allait me faire mettre à la porte. Dans le
bourdonnement des conversations [illegible] n'avait pas dû
entendre mon nom, la Princesse, en telle manière
« Princesse » [illegible] [illegible] [illegible]
[illegible] les [illegible] causait avec une causeuse [illegible]

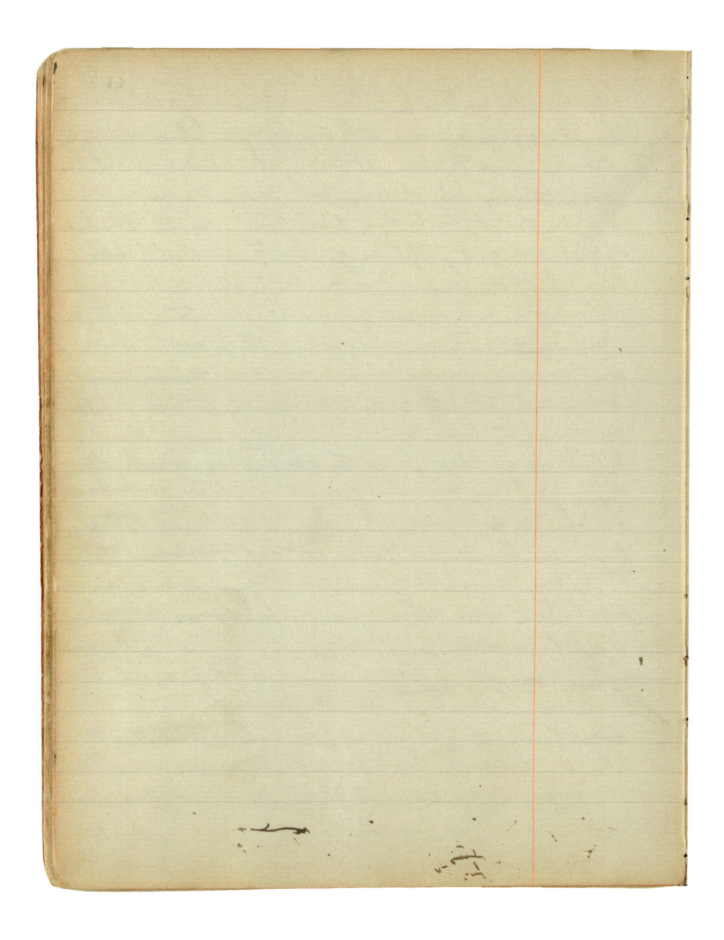

[Quand au surplus ... il était] 45

personnes, et lui dit le nom [sans le lever] avec intérêt. Elle ne la
avait pas encore vue. Je ~~[illegible]~~ en dirigeant les yeux vers elle mais
en la regardant avec la même fixité que la vieille
dame regardait le jeune monsieur sur lequel elle allait
s'asseoir, car je suppose qu'elle devait prendre attention pour
où qu'elle sentait sous son corps la résistance des genoux
du monsieur ne pas insister sur l'acte de s'asseoir. Ainsi
j'épiais sur le visage de la Pcesse de Guermantes dès qu'elle
m'aurait aperçu la première trace de la stupeur et de l'
indignation pour abréger le scandale et filer au plus vite.
Elle m'aperçut, elle se leva, alors qu'elle ne se levait
pour aucun ministre, elle vint vers moi, mon cœur tremblait,
mais je ressens le regard des yeux bleus brillants du plus
éloquent sourire et du long geste de dire de sa main
gracieuse de tendre vers moi " Comme c'est aimable
d'être venu, je suis ravie de vous voir. Quel malheur
que vos cousins soient justement en voyage, mais c'
eût été plus gentil à vous d'être venu comme cela
nous savons que c'est pour nous seuls. Tenez voyez
Prosper M. de Guermantes dans ce petit salon, il sera
charmé de vous voir ". Je m'inclinai avec un
profond salut et la Princesse n'attendit pas mon départ
[illegible]. Mais on fit celui de la vieille dame devant
le fauteuil quand elle ~~vit qu'elle s'asseyait~~ [de s'être assise et vit qu'il n'y]
avait pas de jeune monsieur. ~~M. de Guermantes salut~~
Dès ce jour je ~~étais~~ [fus] guéri de ma timidité. J'ai peut-être
[[illegible]]

46 58

reçu depuis ~~les~~ les des invitations plus inattendues ou plus flatteuses
que celles de M. et de Mme de Guermantes. Mais les tapisseries de
Boucher, la lettre magique, les personnes du côté de Guermantes ne leur donnaient pas leur prestige. J'ai toujours souffert
sur la dernière de Beauvais et n'ai jamais souffert sur la
mauvaise forme. Et elle ne fut pas plus flattée que cela n'avait été
tout à fait égal. M. de Guermantes recevait très bien, trop
bien, car dans les soirées où il recevait le ban et l'arrière-
ban de la noblesse, et où venaient des nobles de second ordre
de province ~~qui le voyaient~~ pour qui il était un très grand
seigneur, il se croyait obligé à force de tendresse et de
familiarité de mains sur l'épaule, et de ton bon
garçon, de « on n'est pas aimable chez moi » ou de
« je suis très honoré que vous daigniez venir » de dissiper chez
tous la gêne, la terreur respectueuse qui n'existait
pas ou de quoi qu'il la supposât. A quelques pas de lui causait
une dame dans le palais de Guermantes. Il ne regardait pas de mon
côté, mais je doutais que ses yeux de mer chaud et plein d'eau
n'avaient parfaitement aperçu. ~~...~~ Il causait avec
une dame que j'avais vue chez les Guermantes, je la saluai d'
abord, ce qui détourna peut-être M. de Guermantes malgré
cela, déplacé et interrompu il regardait de mon côté tout
justement comme s'il ne m'eût pas vu. Mon salut il
n'avait pas ... me voyait ... que je tournai vers lui
pour le saluer, tâchant d'attirer l'attention de son
regard ... d'un autre côté du salon et je ...
yeux espérant « la rousse », il me tendit la

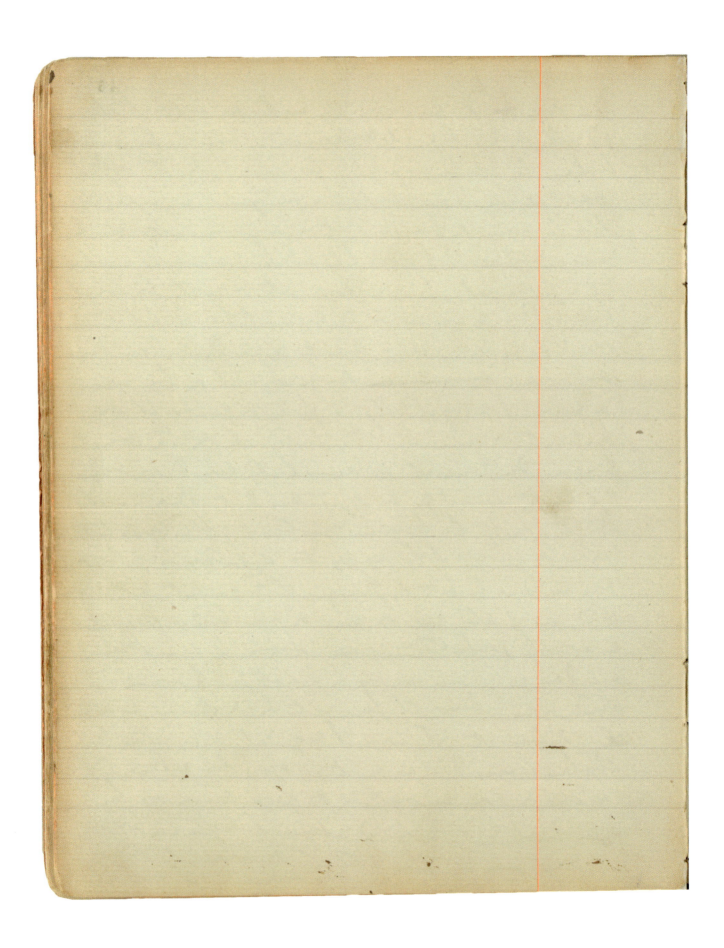

47 59

main et qu'il était [illegible] pour moi dès lorsque son sourire ~~[illegible]~~ disponible et du regard [illegible] que je pouvais prendre pour moi puisqu'il me disait bonjour, que j'aurais pu prendre pour une amabilité [illegible] même si je ne lui avais pas dit bonjour, ou pour l'expression de n'importe quelle pensée [illegible] à l'endroit d'autre on [illegible] si j'avais pensé qu'il ne m'avait pas vu. J'avais [illegible] qui allait rejeter dans une [illegible] l'anneau d'[illegible] que, j'étais pour ainsi dire entré par effraction dans [illegible] bonjour [illegible] et dans [illegible] je ne pouvais pas dire qu'il m'avait dit bonjour. J'aimais mieux penser qu'il ne m'avait pas vu ou pas reconnu. Il se remit à parler avec son interlocutrice et je m'éloignai. On joua une petite ~~[illegible]~~ opérette pour laquelle on n'avait pas invité de jeunes filles. Il en vint après et on dansa.

~~[illegible]~~ Dans le [illegible] je retournai [illegible] de Guermantes [illegible] et [illegible] ne le saluai, [illegible], pour qu'il ne [illegible] ni me trouver impoli. Il me remerciait ni prendre ce geste pour lui ; il ne me reconnaissait pas. Il ne [illegible] un mouvement [illegible] qu'il me voyait. Mais

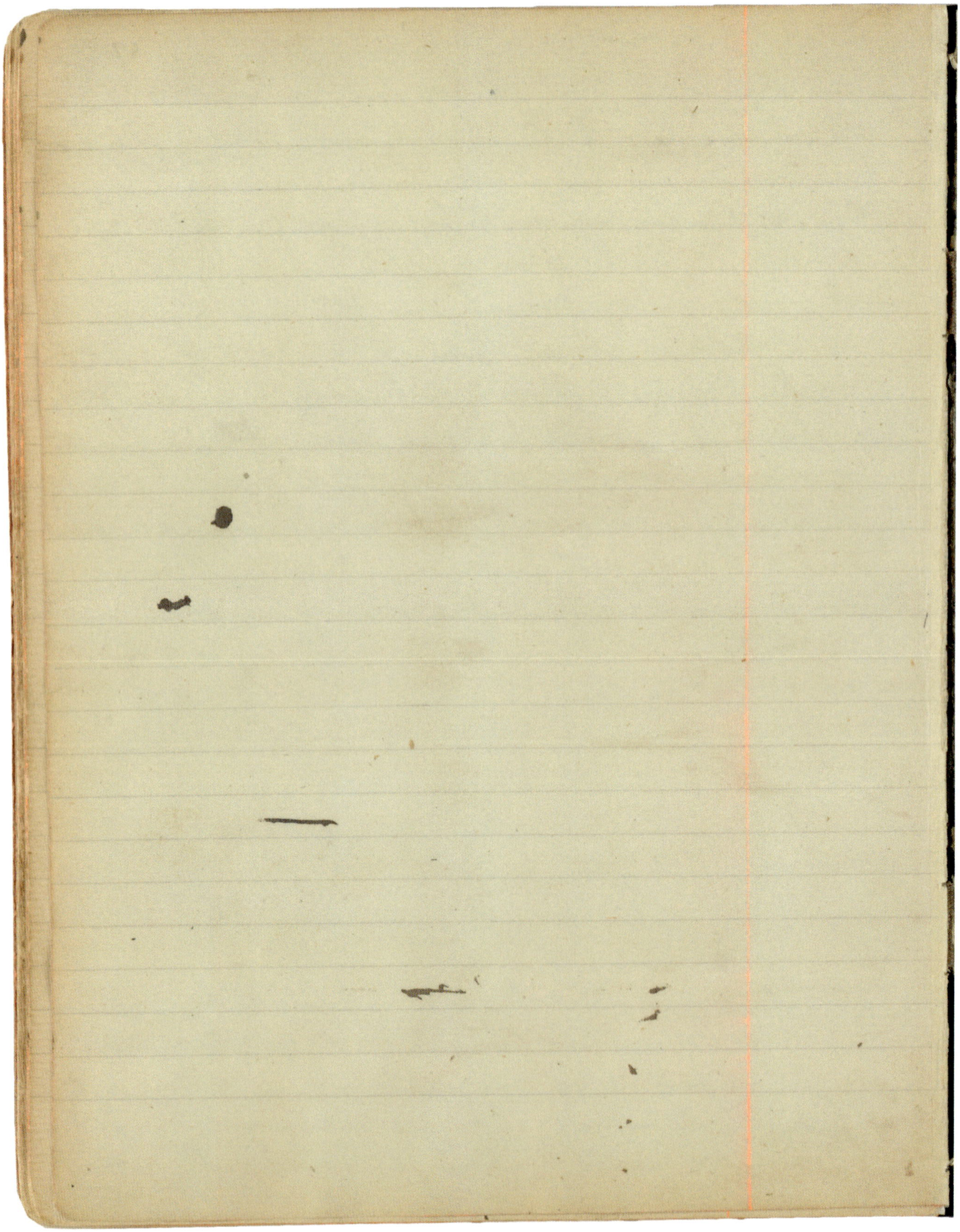

48 60

m'appelait et moi me demanda des nouvelles de ma grand-mère, me proposa de faire quelques pas avec lui, et avec une gentillesse qui me toucha infiniment me prit familièrement par le bras. Au bout de quelques pas j'aperçus ~~le mari de~~ un des invités des Guermantes que je connaissais bien de vue mais dont j'ai que je n'ai jamais su le nom qui revenait vers l'hôtel ~~Guer~~ de Guerchy qui tant tant qu'il n'était plus dans le monde avait quitté son œil à la Dorangie ne l'avait pas vu. Il l'aperçut à quelques pas et avec une violence à me renverser, retira brusquement son ~~main~~ bras de dessous le mien. Je fus stupéfait et fus aussi blessé de voir qu'il regrettait devant quelqu'un de m'avoir donné cette marque d'amitié. ~~Mod~~ L'invité qui probablement ne se doutait pas de faire la conversation à cette heure détourna la tête vers lui. M. de Guerchy ~~étai~~ furieux sans doute qu'il n'avait pu ne pas appeler : "Adalbert" lui demanda ce qu'il faisait : "je vais aller" dit Adalbert avec un regard de colère ~~[illegible]~~ je lui [en marge : ma femme a oublié au château] ai dit de retourner et retourner avec elle et [illegible] et je vais me la chercher. Ah ! la vie de [illegible] !" Guerchy répond [illegible] la [illegible] qu'il n'avait [illegible]. Il me présenta ~~[illegible]~~ de ma grand-mère dit que j'étais très lié avec ~~la~~ toute la famille de Guermantes ~~et~~ et avec cette tellement [illegible] que j'étais à la même lui un [illegible] d'explications et [illegible] pour moi la gentillesse de la [illegible]. Il avait l'air de

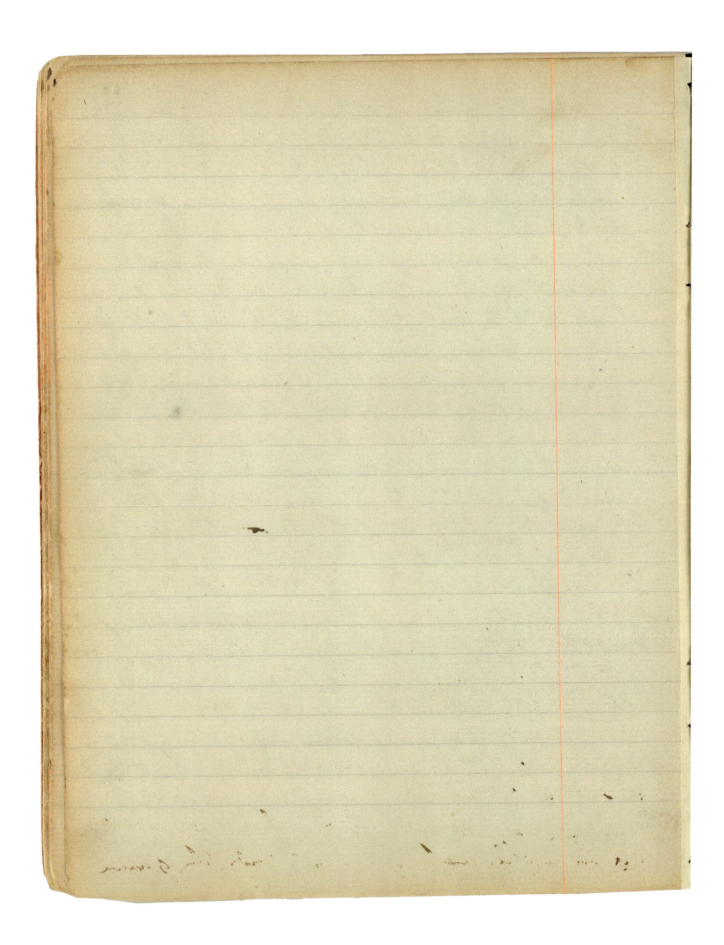

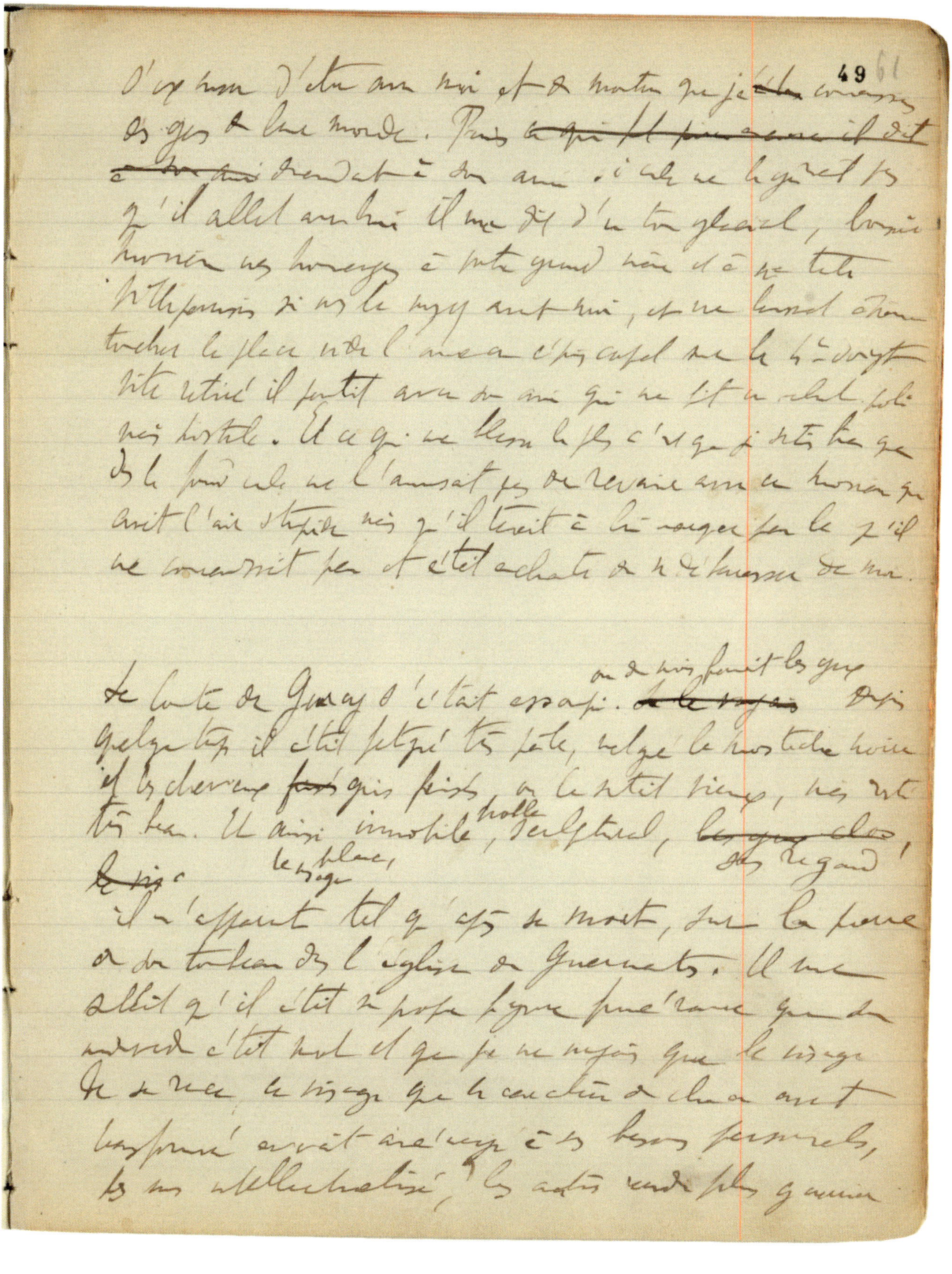
49
61

serait la petite d'un château qui selon la légende d'un châtelain a été tué à une salle d'études ou d'[illegible]. Il m'apparaissait le visage bien délicat, bien mollé, bien beau, ses yeux se couvraient d'un regard si doux qu'il n'était pas le temps de rendre artificiel flotter sur son visage dont je étudiais en ce moment sous les cheveux [illegible] l'oreille ~~et~~ les [illegible] et les yeux, sa bouche s'adoucissait, son regard [illegible] au dessus de la ligne molle de ses joues, sa main de l'autre relevait ses cheveux et je me dis : Pauvre [illegible] de Guermantes qui [illegible] tout le [illegible], s'il savait !

C'est que je [illegible] toujours à l'idée ~~[illegible]~~ les [illegible] que j'ai ~~[illegible]~~ ~~[illegible]~~ [illegible] en ce moment. ~~[illegible]~~ je ~~[illegible]~~ [illegible] On dirait que c'est une femme ! ~~Ces mots~~ Mais au moment même où je prononçais ces mots et qui [illegible] il me semble qu'une révolution magique s'opérait en moi de Guermantes. Il m'avait [illegible] mais tout d'un coup il s'éclairait d'une lumière intérieure ~~[illegible]~~ où tout ce qui m'avait chez lui choqué troublé, semblé contradictoire, se résolvait en harmonie depuis que je venais de dire ces mots : on dirait une femme. J'avais compris, c'en était une ! C'en était une. Il appartenait à la race de ces êtres, contradictoires en effet puisque leur idéal est viril justement parce que leur tempérament est féminin, qui sont dans la vie, ~~en apparence~~ à côté des autres ~~[illegible]~~ en apparence [illegible] mais portant ~~[illegible]~~ ~~[illegible]~~ ~~dans la prunelle~~ ~~[illegible]~~ à travers de ce petit disque de la prunelle ~~[illegible]~~ où notre désir est intaillé et à travers lequel nous voyons le monde, non la ~~[illegible]~~ [illegible]

63

~~Peut-être que~~ le mensonge où ~~elle~~ il est obligé de vivre au milieu des autres, il vit avec lui en lui-même, puisque femme, il est obligé pour se plaire à lui-même de se croire homme ; ~~il redresse ridiculement~~ s'il marche ~~d'un air indiff~~ d'un air qu'il croit indifférent et dont la négligence seule révèle son agitation toujours dans les allées de quelque promenade solitaire, il redresse virilement, d'un air de héros, des hanches de femme, il ~~parle~~ parle d'un air de dédain de ce qu'il désire, il flétrit sincèrement l'efféminement regarde aux démonstrations de coquetterie et ne voit que de la force.

Les uns solitaires, allant chaque dimanche du château où ils vivent reclus, loin du monde "méchant" jusqu'à un chemin du château voisin où leur camarade d'enfance aujourd'hui marié, fait la promenade inverse. Et là au carrefour des trois chemins, ~~sans se~~ sur le talus désert, ~~sans se dire un mot~~, ils renouvellent l'étreinte de leur enfance, sans se dire un mot, se quittent sans s'être parlé, et quand ils se revoient dans le domaine n'avouent jamais ce qu'ils ont fait, ne se l'avouent pas à eux-mêmes, et attendent le prochain dimanche, ses plaisirs et ses larmes, comme si c'étaient des petites morts de leur enfance qui réapparaissent un instant.

D'autres ~~fiers de leur vice, comme d'une profession comme d'une race~~ criant leur foi, ou de [illegible] ne se plaisent qu'avec leurs coreligionnaires, parlent leur langage, disent volontiers des mots consacrés, faisant des gestes rituels, d'autres convaincus, bavards, bureaucrates, fonctionnaires de leur vice, se tiennent près à toutes les [illegible] des jeunes gens [illegible] des Demoiselles de province qui avaient enveloppé leur vice toujours, quelques uns [illegible]

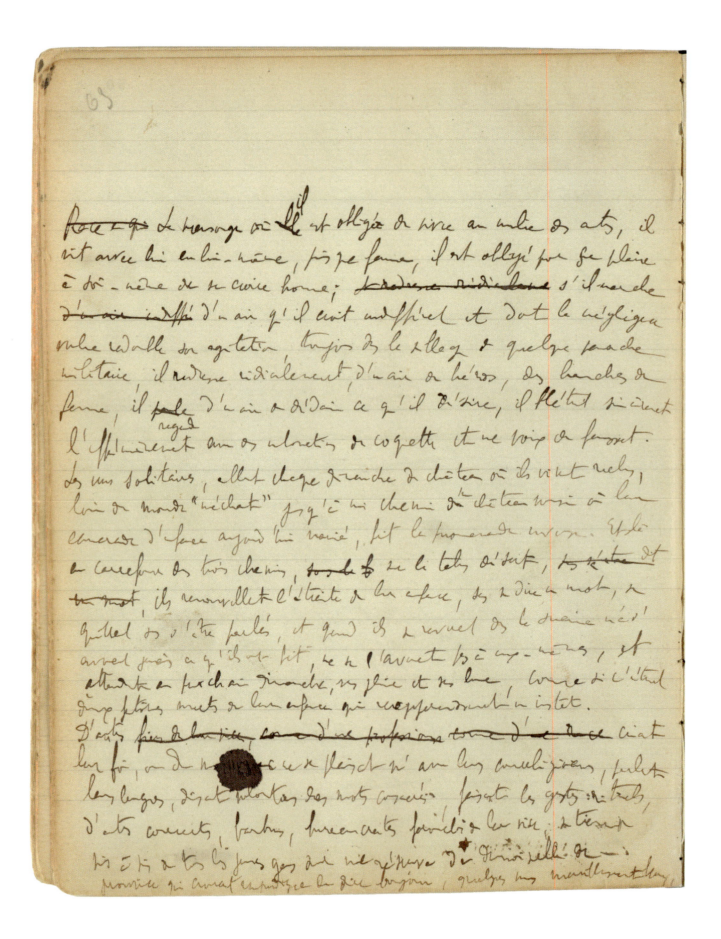

~~mais la tête dans et la poitrine~~ avec le corps non d'une nymphe
mais d'un éphèbe qui veut projeter dans ordre viril et dégoûté ~~et de fonder~~
sur tout ce qu'ils regardent et tout ce qu'ils font. Race maudite
puisque ce qui est pour elle l'idéal de la beauté et l'aliment de
désir est aussi l'objet de la honte et la peur du châtiment, et
qu'elle est obligée de vivre jusque sur les bancs du tribunal où elle vient
comme accusée et ~~devant~~ devant le Christ, dans le mensonge et dans le parjure,
puisque son désir ~~est~~ serait en quelque sorte, si elle savait le comprendre
inassouvissable puisque n'aimant que l'homme qui n'a rien d'une
femme, l'homme qui n'est pas "homosexuel" ce n'est que de celui-là
qu'elle peut ~~espérer être comprise, aimée, attendre que son désir~~
son désir qu'elle ne devrait pas pouvoir éprouver assouvir pour lui, qui lui
devrait pas pouvoir éprouver pour elle si ~~de~~ le besoin d'amour n'était
pas un grand trompeur et ne lui faisait pas de la plus infâme "tante"
l'apparence d'un homme, d'un vrai homme comme les autres, qui par
miracle, serait pris d'amour ou de condescendance pour lui,
puisque comme les criminels elle est obligée de cacher son secret à
ceux qu'elle aime le plus, craignant la douleur de sa famille, le
mépris de ses amis, le châtiment de son pays ; race maudite persécutée ~~par~~
comme Israël et comme lui ayant fini dans l'opprobre commun
d'une abjection imméritée par prendre des caractères communs,
l'air d'une race, ayant tous certains traits caractéristiques,
des traits physiques qui le devraient répugner, qui quelquefois
sont beaux, des cœurs de femme aimants et délicats, mais
aussi une nature de femme soupçonneuse et perverse, coquette
et rapporteuse, des facultés de femme à briller en tout,

spirituels, nobles, recherchés dans le monde ~~[illegible]~~ fait ils venaient aux
une histoire d'anges déchus, regardant dans pouvoir leur espérance les femmes
se tuer pour eux, d'élégants de la duchesse, ~~ils~~ troublés par le
majordome ; quelques uns maternels épris de dévouement, cherchant
toute leur vie à faire nommer un député ou à trouver du travail pour
un maçon ; ~~et d'autres chastes~~ et certains épris de direction, voulant
perfectionner et conduire, professeurs de morale ou d'art, qui serrent
leurs élèves dans leurs bras ; d'autres chastes, regrettant l'arrangement
de la vie qui ne permet pas d'épouser le chef de gare et qui envoie
aux colonies le chef de bataillon ~~de garnison de la colonelle~~, rêvant le plaisir de leur vie à donner
deux sous de pourboire au télégraphiste ; ~~quelques uns effets de toilette~~,
~~et chastes~~ chez quelques uns la femme ayant presque livré le visage viril,
cherchant les occasions de se travestir, de se peindre, de montrer
leurs seins ; et d'autres hideux, [illegible] tenant dans une brasserie allemande
la main de ~~[illegible]~~ l'homme qui est à côté d'eux, relevant leur manche
pour laisser voir le bracelet de leurs bras, ~~faisant de~~ forçant à se
lever et à sortir les jeunes gens ~~[illegible]~~ ~~[illegible]~~ effrayés par les avances
de leur désir ou la provocation de leur haine frénétique, servis
avec politesse et méprisés par le garçon de café philosophe qui connaît
la vie et accepte les pourboires ; tous ~~[illegible] leurs pareils~~ [illegible] de
ne penser qu'à ceux qui ne sont pas de leur race, mais ~~ne se trouvant~~
de contentement qu'avec ceux-là ; ne voulant aimer, être aimés que
de ceux qui ne sont pas de leur race mais ~~[illegible]~~ la possibilité
du plaisir était à la fin la seule orientation du désir, finissant par
se ~~[illegible]~~ plaire à ceux qu'ils rejetaient d'abord ; ~~[illegible]~~
par la nécessité de consolation et aussi par l'espoir d'~~[illegible]~~ arrivé d'un [illegible]

52

une incapacité de parvenir à exceller en rien, exclus de la famille
avec qui ils ne peuvent être en entière confiance, de la patrie
aux yeux de qui ils sont des ~~vices~~ criminels non découverts, de
~~leurs amis~~ leurs semblables eux-mêmes à qui ils inspirent
le dégoût de retrouver en eux-mêmes l'avertissement que
ce qu'ils croient un amour naturel est une ~~maladie~~ folie
maladive, et aussi cette féminité qui leur déplaît, mais par
tout leurs aimants exclus de l'amitié parce que leurs
amis pourraient supposer autre chose que de l'amitié quand
ils n'éprouvent que de la pure amitié pour eux, et ne
les comprendraient pas s'ils leur avouaient qu'ils éprouvent
autre chose, objet tantôt d'une méconnaissance aveugle qui
ne les aime que parce qu'on ne les connaît pas, tantôt d'un
dégoût qui les incrimine dans ce qu'ils ont de plus pur, tantôt d'une curiosité qui cherche à les expliquer et les
comprend tout de travers, élevant à leur endroit une
psychologie de fantaisie que même un esprit impartial
croit encore et admet à peine comme ces gens
pour qui un juif était naturellement un traître qu'un homo
sexuel est facilement un assassin. Comme Israël encore
~~dispersé~~ recherchant ce qui n'est pas eux, ce qui ne
veut pas d'eux, mais éprouvant pourtant les uns pour les
autres, sous l'apparence des médisances, d'une rivalité,
des mépris du moins homosexuel pour le plus homosexuel
comme du plus dépendant pour le petit juif, une solidari-
té profonde, d'une sorte de franc-maçonnerie qui [illegible]

et quelquefois, avec une ironie attristée, dans le cœur de qui
des changes des songes qui lignent une belle voilée en cercle
~~[illegible]~~ il ~~insulte~~ ~~son~~ sa race, dans le prêtre à qui il se
pour qui veut faire exiger
confesse, dans le magistrat chargé de l'interroger!
, s'il est militaire,
de ~~l'avocat~~
dans le souverain qui le fait poursuivre,

Suite du morceau de la page précédente de même côté.
~~necess~~ à notre temps une vie aussi romanesque que celle des corsaires
~~[illegible]~~ et de l'aventurier, nimbée autour d'eux un halo d'efféminement!

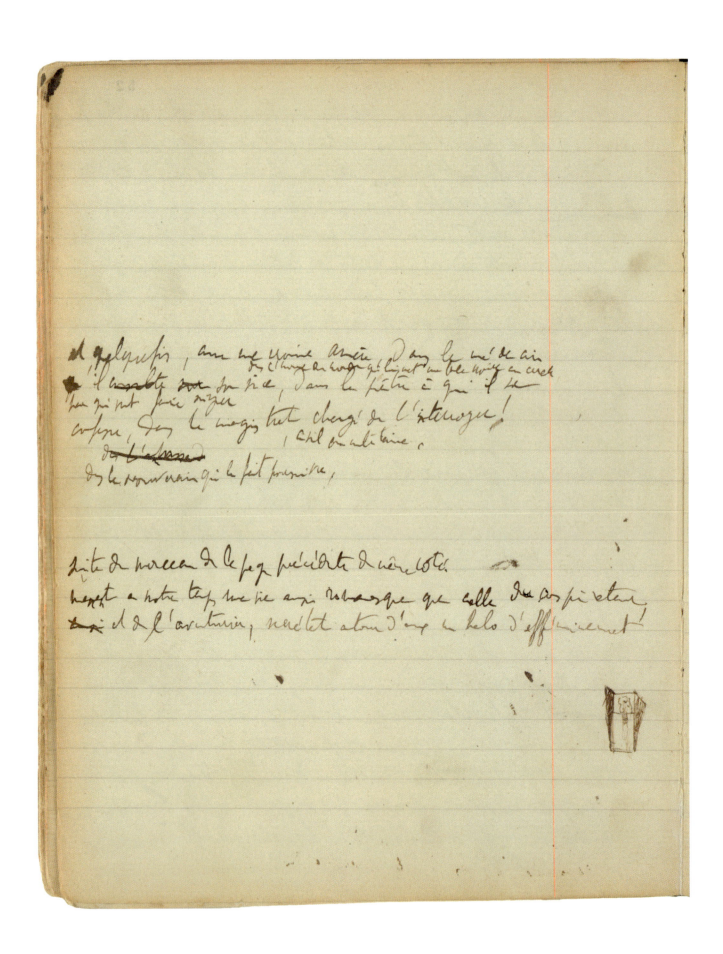

est plus ~~puissante~~ vaste que celle des Juifs parce qu'~~elle~~ ~~est~~ ~~plus~~ [illegible]
~~et~~ ce qu'on en connaît n'est rien et qu'elle s'étend à
l'infini et qui est autrement puissante que la franc-
maçonnerie véritable parce qu'elle repose sur une ~~[illegible]~~
~~conformité~~ conformité de nature, sur une identité de goût, de
besoins, ~~de~~ pour ainsi dire de savoir et de commerce
qui a peut-être une [illegible] le frère du duc qui monte
en voiture dans le [illegible] qui lui ouvre la portière, ou plus
douloureusement parfois dans le fiancé de sa fille,+ race qui
met son orgueil à ne pas être une race, à ne ~~pas~~ ~~diff~~ pas différer
du reste de l'humanité, pour qui ~~[illegible]~~ [illegible] ne lui apparaissent
pas comme une maladie, leur réalisation même comme une
impossibilité, ses plaisirs comme une illusion, ses caractéristiques comme un vice, de sorte que les pages les premières
je peux le dire depuis qu'il y a des hommes et qui certes
~~[illegible]~~ qu'on lui ait consacrées dans un esprit de justice
~~[illegible]~~ pour ses mérites moraux et intellectuels
qu'elle n'est pas seule(?) on le dit [illegible], de pitié pour
son infortune ~~[illegible]~~ innée et pour ses malheurs immérités
[illegible] qu'elle entoure avec le plus de [illegible] et qu'elle
livre avec le [illegible] le plus [illegible], car si on peut dire presque
tous les jours il y a un aristocrate qu'on flatte plus en lui
trouvant tous les défauts qu'à le considérer comme un chrétien
[illegible] il y a [illegible]
à qui on ne peut pas faire de plus grande insulte que de lui
reconnaître les talents, les vertus, l'intelligence, la

68

dans une gare, au théâtre, dans un [illegible]

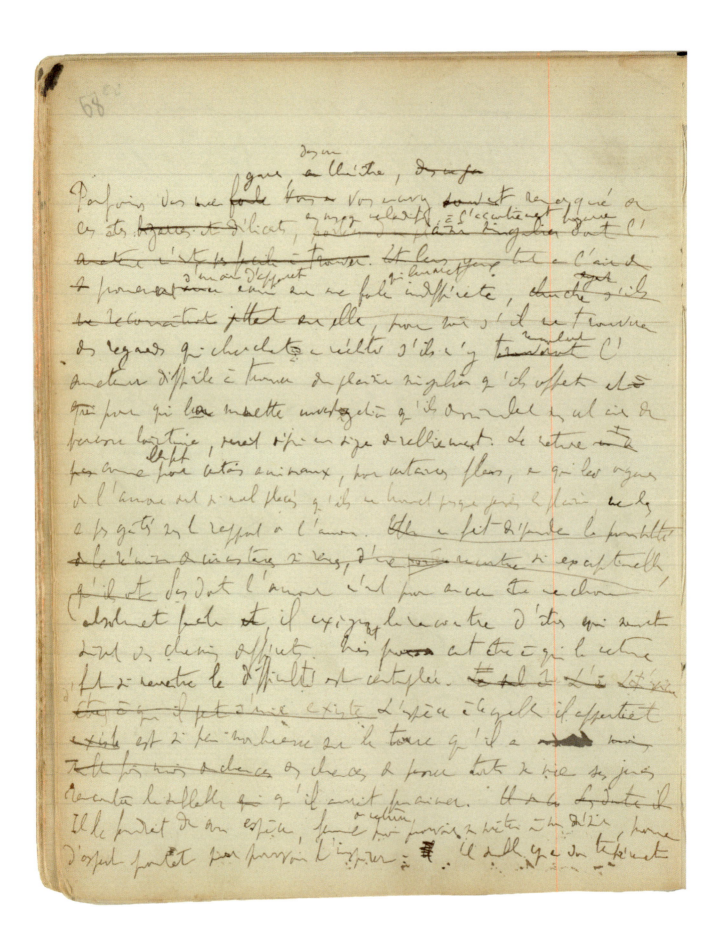

Parfois dans une [illegible] vous avez remarqué ces êtres délicats, aux visages [illegible] [illegible]. Et leurs yeux tout en l'air de se promener d'un air d'apparent ennui sur une foule qui leur est indifférente, jettent sur elle, pour voir s'il ne trouvera des regards qui cherchent à répondre s'ils n'y rencontrent l'amateur difficile à trouver du plaisir singulier qu'ils offrent et pour qui leur muette investigation qu'ils [illegible] un air de personne languissante, serait aussi un signe de ralliement. La nature comme elle fait pour certains animaux, pour certaines fleurs, en qui les organes de l'amour sont si mal placés qu'ils ne trouvent presque jamais le plaisir, ne les a pas gâtés sous le rapport de l'amour. [illegible] dont l'amour n'est pour aucun être une chose absolument facile, il exige la rencontre d'êtres qui [illegible] des chemins différents. Mais pour cet être-ci qui la nature fait se rencontrer les difficultés sont centuplées. L'espèce à laquelle il appartient est si peu nombreuse sur la terre qu'il a [illegible] moins de chances de passer toute sa vie sans jamais rencontrer la seule [illegible] qu'il aurait pu aimer. Il la [illegible] de son espèce, femme ou garçon, moins pouvant se [illegible] d'un désir, homme d'aspect pourtant pour pouvoir l'inspirer. Il semble que son tempérament

54 69

ceux, et on rend comme à toute la nature humaine le droit à l'amour dans la forme où la nature nous a faits et la conversion qui est cependant pour rester dans la vérité on est obligé de confesser que cette forme est étrange, que ces hommes ne sont point pareils aux autres et

~~tous les Juifs~~ qui adoptent des airs avec une satisfaction comique que que ~~le Christ Dieu~~ Socrate était homosexuel, comme les Juifs que le Christ était juif, sans comprendre qu'~~il était la race~~ il n'y avait pas d'homosexuels à l'époque où ~~il était d'usage~~ l'usage et le bon ton était de vivre avec un jeune homme comme aujourd'hui d'entretenir une danseuse, où Socrate l'homme le plus moral qui fut jamais fait sur deux jeunes ~~gens~~ garçons assis l'un près de l'autre des plaisanteries toutes naturelles comme on fait sur ~~deux fiancés~~ un cousin et une cousine qui ont l'air amoureux l'un de l'autre et qui sont plus révélatrices d'un état social que des théories qui pouvaient ne lui être que personnelles — de même qu'il n'y avait pas de juifs avant la crucifixion de Jésus Christ, et bien que leur originalité qui il soit le péché de son origine historique, dans leur non conformité surtout à la répulsion ; mais pourtant chez les uns et les autres tenace à la persécution, ~~et~~ à l'exemple, au mépris, aux châtiments de la loi, une disposition que le reste des hommes sent si forte et si innée qu'elle leur répugne davantage que des crimes qui ~~...~~ nécessitent une lésion de la moralité, car les crimes on ~~peut~~ peut être momentanés et chacun peut comprendre l'acte d'un voleur, d'un assassin mais non d'un homosexuel ; partie donc réprouvée de l'humanité mais partie pourtant essentielle, invisible, innombrable

90

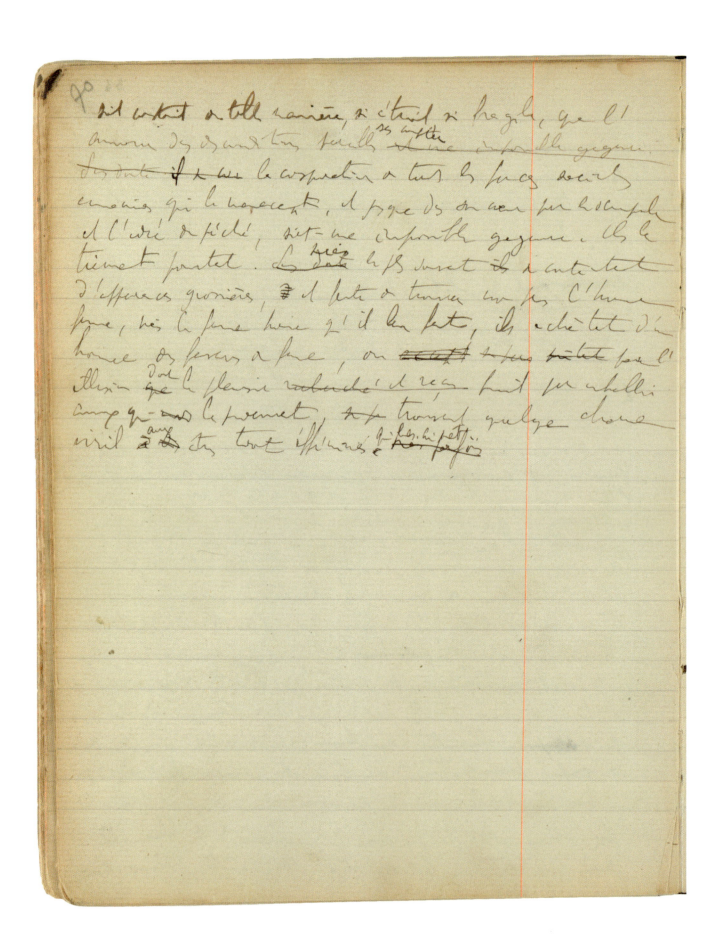

soit contentée de telle manière, si c'était si fragile, que l'
amour des désirants très faciles ses utiles ~~est une impossible gageure.~~
~~Sans doute~~ ~~il a une~~ la conspiration de toutes les forces sociales
ennemies qui les menacent, et jusque du remords par le scrupule
et l'idée de péché, soit une impossible gageure. Ils la
tiennent pourtant. ~~Les doux~~ très les plus douces ~~ils~~ se contentent
d'apparences grossières, ~~et~~ et faute de trouver non pas l'homme
femme, mais la femme homme qu'il leur faut, ils achètent d'un
homme des faveurs à prix, ou ~~[illegible]~~ ~~[illegible]~~ ~~[illegible]~~ par l'
illusion dont ~~que~~ le plaisir ~~[illegible] et reçu~~ finit par embellir
ceux qui ~~[illegible]~~ le procurent, ~~[illegible]~~ trouvent quelque chose
viril aux ~~à des~~ êtres tout efféminés qui les leur prêtent ~~[illegible] parfois~~

de la famille humaine, conspirant là où il ne l'est pas, ~~[illegible]~~
exilé, insolent, impuni là où on ne le sait pas, partout
dans le peuple, dans l'armée, dans le temple, au théâtre, au
bagne, sur le trône, se déchirant entre soi, se soutenant, ne voulant
pas se connaître, mais se reconnaissant, et devinant un semblable
dont surtout il ne veut pas s'avouer de lui-même – et ne
pouvant être de ceux qu'il est le semblable ou vivant dans
l'intimité de ceux que la vue de son crime dont un semblable
se produisait rendrait avec la vue du sang, je n'en serais
des pauvres, mais habitué avec le danger dans les [illegible] et
pour lui dans le monde à passer avec eux, à parler
homosexualité, à provoquer leurs gros jurements, ~~et~~ à
~~[illegible]~~ de bien qu'on ne parle jamais tant homosexualité
que devant l'homosexuel jusqu'à ce qu'enfin appareillé ou
tôt ou tard il soit découvert, comme le poète, reçu dans tous les
salons de Londres, ~~et~~ poursuivi, ne pouvant trouver un ~~lit~~ lit
lui et ses amis
où reposer, [illegible] doit être puni et après l'exhibition
et la mort, voyant s'élever sa statue au-dessus de sa
tombe, obligé de travestir ses sentiments, de changer tous les
mots, de mettre au féminin les phrases, de donner des excuses
à ses propres yeux
à ses amitiés, à ses colères
plus gêné par la nécessité intérieure et l'ordre impérieux de
son vice de ne pas se croire pur à leur tête que par la nécessité
extérieure de ne pas laisser voir ses goûts.

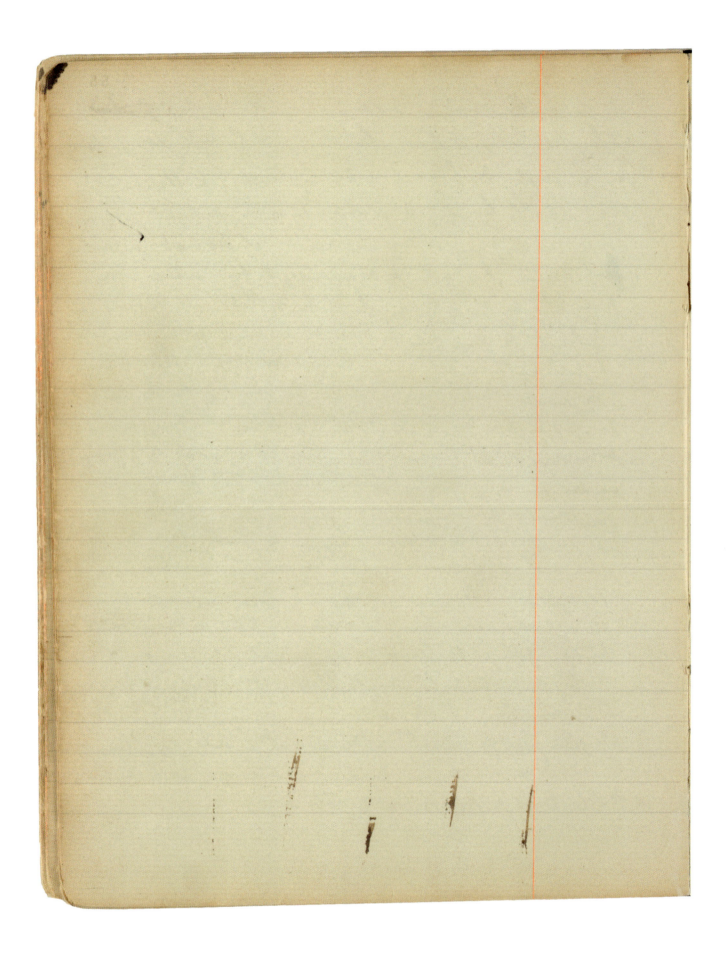

Le lierre et le parent
de tous les paroisses
de ses amis
boutonnet
meeting
soit dit entre nous
ma bourgeoisie, mon épouse

Sainte Beuve et Baudelaire

Un poète que tu n'aimes qu'à demi et ~~pour~~ à l'égard de qui ~~il~~ tu conviens que Ste Beuve, qui était très lié avec lui, a fait preuve de la plus clairvoyante, de la plus divinatrice admiration, c'est Baudelaire. Or ~~tu~~ si Ste Beuve, touché de l'admiration, de la déférence, de la gentillesse de Baudelaire qui tantôt lui envoyait des vers, et tantôt du pain d'épices, et lui écrivait sur Joseph Delorme, sur les Consolations, sur les articles des Lundis, les lettres les plus exaltées, lui ~~a~~ adressait d'affectueuses lettres, il n'a jamais répondu aux prières réitérées de Baudelaire de faire même un seul article sur lui, ~~à l'occasion de Election à l'Académie~~ Le plus grand poète ~~des~~ du XIXe siècle, et qui, de plus, était son ami, ne figure pas dans les Lundis, où tant de Comtes Daru, de d'Alton Shée ~~etudiés~~, ~~et~~ et d'autres ont leur place. Exceptionnellement, dans l'article sur les Elections à l'Académie il dit quelques mots, charmants d'ailleurs, sur les Fleurs du Mal : "J'appelle cela moi la Folie Baudelaire" et il ajoute ces mots ironiques " Ce qui

75

1 « Ste-Beuve heureux de pouvoir venir en aide à son ami sans
se compromettre » comme dit naïvement M. Crépet ~~qui~~ croit faire
~~l'éloge [illegible]~~ de Ste-Beuve.
l'éloge de la conduite.

Il commence par remercier Baudelaire de ~~sa~~ sa dédicace, ne peut pas
se défendre de dire un mot d'éloge, dit que les pièces qu'il avait
déjà lues font réunies « un tout autre effet », qu'évidemment c'
est triste, affligeant, mais que Baudelaire le sait bien, cela dure
ainsi pendant une page sans qu'un seul adjectif laisse supposer à Ste
Beuve trouve le livre bien. ~~Nous~~ Il nous apprend ~~seulement~~ seulement que Baude
laire aime beaucoup Ste-Beuve et que Ste-Beuve sait ~~bien~~ les gentillesses de
cœur de Baudelaire. Enfin vers le milieu de la seconde page, il se
lance, enfin une appréciation : (et c'est déjà une lettre de remerciement
et à quelqu'un qui l'a traité avec quelle tendresse et ~~quelle~~ quelle déférence)

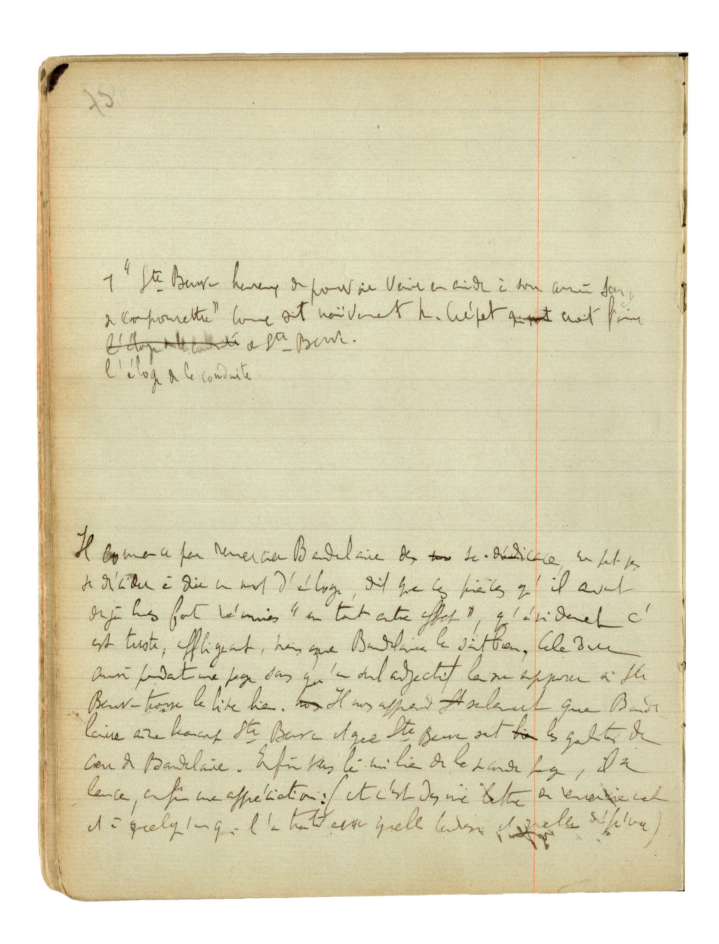

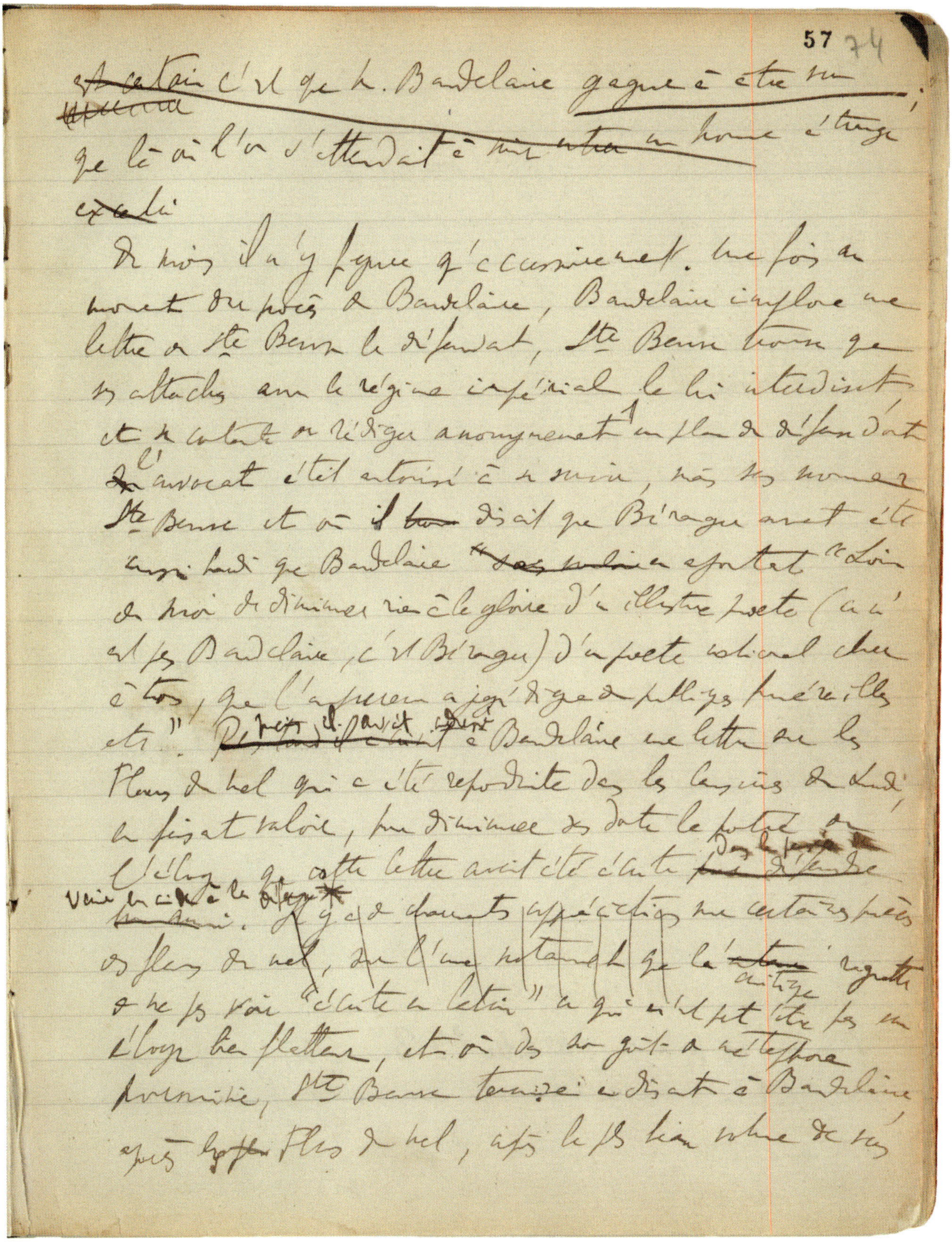
57

certain c'est que M. Baudelaire gagne à être vu; que là où l'on s'attendait à voir un homme étrange excentrique

De mois il n'y figure qu'accessoirement. Une fois au moment du procès de Baudelaire, Baudelaire implore une lettre où Ste Beuve le défendrait, Ste Beuve trouve que ses attaches avec le régime impérial la lui interdisent et se contente de rédiger anonymement un plan de défense dont l'avocat était autorisé à se servir, mais sans nommer Ste Beuve et où il disait que Béranger avait été aussi hardi que Baudelaire et ajoutait « Loin de moi de diminuer rien à la gloire d'un illustre poète (ce n'est pas Baudelaire, c'est Béranger) d'un poète national cher à tous, que l'Empereur a jugé digne de funérailles publiques etc. ». Plus tard il écrivit à Baudelaire une lettre sur les Fleurs du mal qui a été reproduite dans les Causeries du lundi, en faisant valoir, pour diminuer dès lors la portée de l'éloge, que cette lettre avait été écrite dans l'espoir de le défendre. Il y a de charmantes appréciations sur certaines pièces des Fleurs du mal, sur l'une notamment que la critique regrette de ne pas voir « écrite en latin » ce qui n'est peut-être pas un éloge bien flatteur, et où dans son goût de métaphore bonhomme, Ste Beuve termine en disant à Baudelaire après les Fleurs du mal, après les pas bien entrés de vers

« En faisant alors avec habileté (première appréciation, mais qui peut se prendre dans ~~bs~~ un bon sens), avec afféterie, avec un talent curieux (c'est le premier éloge si c'en est un, il ne fut du reste pas être difficile de ne pas pousser plus loin) et un abandon quasi précieux d'expression, en parlant (souligné par Ste Beuve) en pétrarquisant sur l'horrible. » ; et plus simplement « vous avez dû beaucoup souffrir mon cher enfant. » Suivent quelques critiques, puis de grands compliments sur deux pièces seulement ~~Tr~~, le sonnet Tristesse de la lune « qui a l'air d'un Anglais contemporain de la jeunesse de Shakespeare », et « à celle qui est trop gaie » dont il dit « Pourquoi cette pièce n'est-elle pas en latin, ou plutôt en grec ». Il oublie qu'un peu plus haut il lui avait parlé de sa « finesse d'expression ». Et comme il aime les belles phrases il termine ainsi : « Mais encore une fois il ne s'agit pas de tout ceci de compliments, j'ai plutôt envie de gronder (il ne s'agit pas de compliments, à quelqu'un qu'on aime et qui vient de vous envoyer les Fleurs du mal, quand on a passé sa vie à en faire à tant d'écrivains sans talent) copier la fin.

~~C'est ce que B~~

Mais ce n'est pas tout, cette lettre Ste Beuve dès qu'il avait su qu'on comptait la publier on l'avait redemandée, probablement pour voir ~~si~~ s'il ne s'était pas laissé aller à trop d'éloges (ce qui du reste est simplement une supposition de ma part.) En tous cas on la qu'il y ait dans la poésie française, comme à un commençant qui n'aurait pas encore "piqué sa première tête" et quitté les [illegible] : "

Une autre fois (et peut-être bien parce que Ste Beuve avait été publiquement attaqué par les amis de Baudelaire pour ne pas avoir eu le courage de témoigner pour lui en même temps que d'Aurevilly etc devant la Cour d'assises) à propos des élections à l'Académie Ste Beuve fit un article sur les diverses candidatures. Baudelaire était candidat. Ste Beuve, qui du reste aimait donner des leçons de littérature à ses collègues de l'Académie comme il aimait donner des leçons de libéralisme à ses collègues du Sénat, parce que s'il restait de son milieu il lui était très supérieur et qu'il avait des velléités, des accès, des poussées d'un art nouveau, d'anticléricalisme et de révolution, Ste Beuve parla en termes charmants et brefs des fleurs du mal, ~~disant : "J'appelle cela la Folie Baudelaire"~~ "ce petit pavillon que le poète s'est construit à l'extrémité du Kamtchatka littéraire, j'appelle cela la Folie Baudelaire (toujours des "mots", des mots que les hommes d'esprit peuvent citer en ricanant : il appelle cela la "Folie Baudelaire". Seulement les gens de lettres qui citaient cela à dîner, ~~pouvaient~~ le pouvaient quand le mot était sur Chateaubriand ou sur Royer Collard. Ils ne savaient pas qui était Baudelaire) Et il termine par ces mots choisis

77.

donnant, dans les Causeries du Lundi il eut devoir la faire précéder ~~dises~~ fr dire franchement, l'affaiblir encore – par un petit préambule où il dit que cette lettre avait été écrite "dans la pensée de venir en aide à la défense. Et voici comment dans ce préambule il parle ~~des~~ Fleurs du mal, bien que cette fois-ci où il ne s'adresse plus au poète "son ami" il ~~n'a plus~~ n'a pas à le ganter et il pourrait être question de compliments". "Le poète Baudelaire ~~avait~~ .. avait mis des années à extraire de tout sujet et de toute fleur (~~[illegible]~~ cela veut dire à écrire les Fleurs du mal) un suc vénéneux, et même, il faut le dire, assez agréablement vénéneux. C'était d'ailleurs (toujours la même chanson!) un homme d'esprit (!), assez aimable à ses heures (en effet, il lui écrivait : j'ai besoin de vous voir comme Antée de toucher la Terre) et très capable d'affection (c'est en effet tout ce qu'il y a à dire de l'auteur des Fleurs du mal. Ste Beuve nous a déjà dit de même que Stendhal était modeste et Flaubert bon garçon). Lorsqu'il eut publié ce recueil, intitulé Fleurs du mal ("Je dis que vos poètes des vers, n'avez-vous jamais été tenté de donner un petit recueil, disait un homme du monde à Mme de Noailles), il n'eut pas seulement affaire à la critique, la justice s'en mêla, comme s'il y avait véritablement danger à ces malices enveloppées et sous-entendues dans des rimes élégantes; ~~[illegible]~~ par les lignes, ayant l'air d'exposer ~~[illegible]~~ par le besoin de service à rendre et le scandale, les éloges de la lettre. Remarquons en passant que les "malices enveloppées" ne sont pas beaucoup avec le "Vous avez dû souffrir beaucoup mon

[marginal addition:] [illegible]

59

Ce qui est certain c'est que M. Baudelaire gagne à être
vu*, que là où l'on s'attendait à voir entrer un homme
étrange, excentrique, on se trouve en présence d'un candidat
poli, respectueux, exemplaire, d'un gentil garçon, fin
de langage et tout à fait classique dans les formes –". Je
ne pense pas qu'en écrivant les mots gentil garçon,
gagne à être connu, classique dans les formes, Ste-
Beuve n'ait pas cédé à cette espèce d'hystérie de
langage qui par moments lui faisait trouver un incroyable
plaisir à parler comme un bourgeois qui ne sait pas
écrire et à dire de Mr Borany "le délicat et finement
touché". Mais c'est toujours le même procédé, ~~trouver à~~ de
faire quelques éloges "d'ami" de Planche,
des Goncourt, ~~de Stendhal~~ de Baudelaire et dire que
d'ailleurs ce sont dans le particulier les hommes les plus délicats
les plus ~~sûrs~~ aimables. Dans l'article rétrospectif sur Stendhal
c'est encore la même chose ("plus encore dans son procédé")
Et après avoir conseillé à Baudelaire de retirer sa candida-
ture ~~et lui~~, comme Baudelaire l'a écouté et a écrit sa
lettre de désistement, Ste-Beuve l'a félicité et lui
~~donne~~ console de le faire en ces termes : "Quand on a lu (à la
séance de l'Académie) votre dernière phrase de remerciement,
conçue en termes si ~~modestes~~ modestes et si polis, on a dit tout
haut : Très bien. Ainsi vous avez laissé de vous une bonne

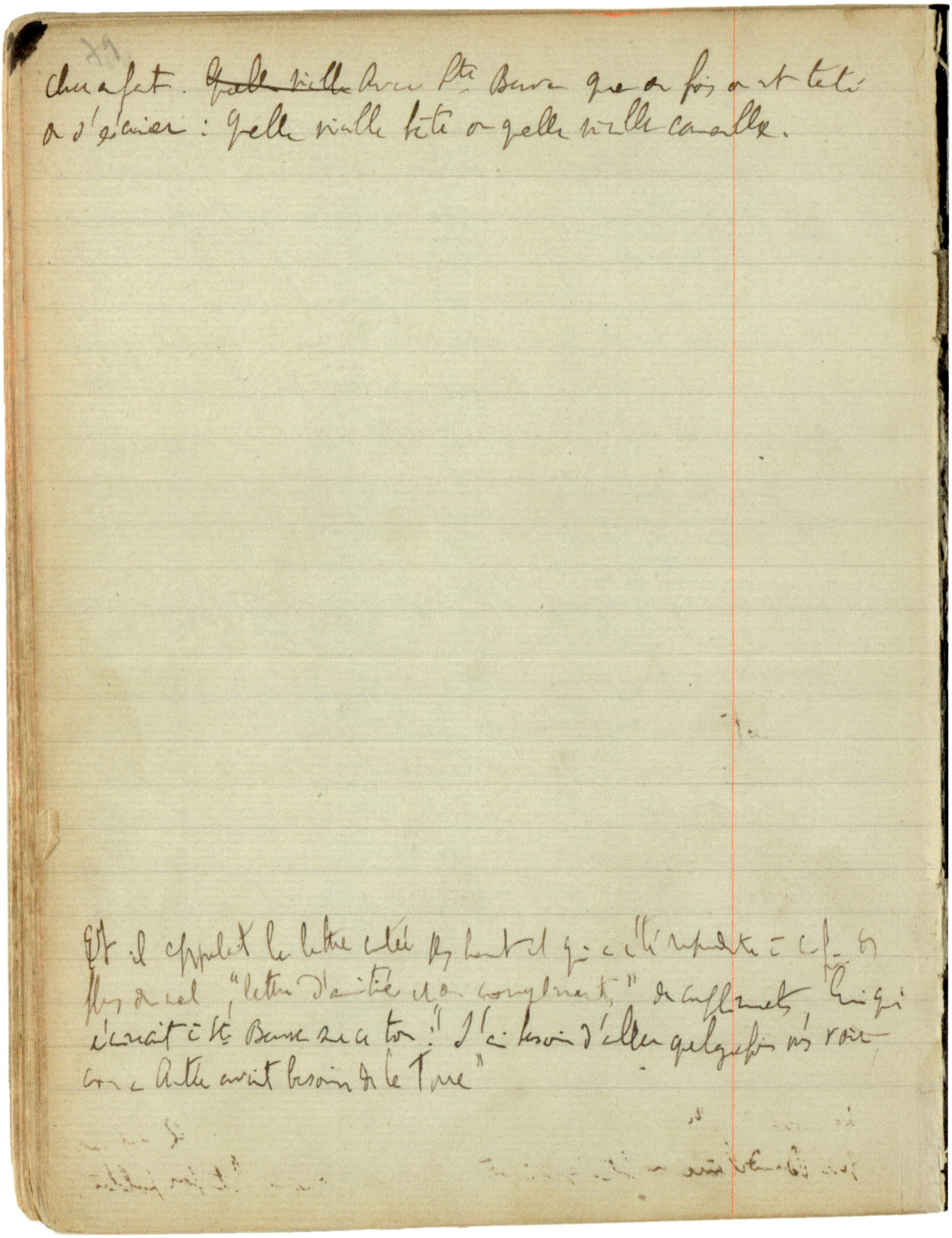

chez a fait. ~~Quelle vieille~~ Avec Ste Beuve que de fois on a été tenté de s'écrier : Quelle vieille bête ou quelle vieille canaille.

Et il appelait les lettres citées plus haut et qui ont été respectées = cf. 87 plus du vol, "lettres d'amitié et de compliments," de compliments, lui qui écrivait à Ste Beuve sur ce ton ! "J'ai besoin d'aller quelquefois vous voir comme Antée avait besoin de la Terre"

60

impression. N'était-ce donc rien" ? N'était-ce rien que d'avoir fait l'impression d'un homme modeste, d'un "gentil garçon" à M. de Sacy et à Villemain ? N'était-ce rien ~~que~~ de la part de Ste Beuve grand ami de Baudelaire que d'avoir donné des conseils à [illegible], à condition que son nom ne fût pas cité, d'avoir refusé tout article sur les Fleurs du Mal, même sur les traductions de Poë mais d'avoir dit que la "Folie Baudelaire" était un charmant pa[illegible] etc. Ste Beuve trouvait que tout cela c'était beaucoup. Et ce qu'il y a de plus effrayant, (et qui vient bien à l'appui de ce que je te disais), ~~Baudelaire était du même avis~~ si fantastique que cela puisse paraître, Baudelaire était du même avis ! Quand ~~Ste~~ ses amis s'indignent du silence de Ste Beuve au moment de son procès et laissent percer leur mécontentement dans la presse Baudelaire est affolé, il écrit lettre sur lettre à Ste Beuve, pour le persuader qu'il n'est pour rien dans ces attaques, il écrit à Malassis ~~St~~ Asselineau : "Voyez donc à éviter cette affaire qui pourrait m'être désagréable... Babou sait bien que je suis très lié avec l'oncle Beuve, que je tiens vivement à son amitié, et que je me donne même la peine de cacher mon opinion quand elle est contraire à la sienne etc. Babou a l'air de vouloir me défendre contre quelqu'un qui m'a rendu une foule de services (?)" Il écrit à Ste Beuve "que loin d'avoir inspiré cet article il avait persuadé à l'auteur "que vous (Ste Beuve) ~~aviez~~ faisiez toujours tout ce que vous deviez et pouviez faire". Il y a encore peu de temps que je parlais à propos de cette grande amitié qui me fait honneur etc. Je suppose que Baudelaire ne fut pas sincère alors, et que ce fut par politique

qu'il tint à ménager Ste Beuve et à lui laisser croire qu'il trouvait qu'il avait bien agi, cela revient toujours au même, cela prouve l'importance que Baudelaire attachait à un article de Ste Beuve (qu'il ne put d'ailleurs pas obtenir), à défaut d'articles aux quelques phrases d'éloge qu'il priait qu'on lui accordât. Et tu as vu quelles phrases. Mais si petites qu'elles nous semblent, elles ravissent Baudelaire. Quand après l'article "gagne à être connu, c'est un gentil garçon, folie Baudelaire etc" il écrit à Ste Beuve : "Encore un service que je vous dois ! Quand cela finira-t-il ? Et comment vous remercier ? — .. Quelques mots encore pour vous peindre le genre particulier de plaisir que vous m'avez procuré. ... Quant à ce que vous appelez mon Kamtchatka si je recevais souvent des encouragements aussi vigoureux que celui-ci, je crois que j'aurais la force d'en faire une immense Sibérie etc. Quand je vois votre activité, votre vitalité, je suis tout honteux (de son impuissance littéraire !) Faut-il maintenant que moi, l'amoureux incorrigible des Rayons Jaunes et de Volupté, de Ste Beuve poète et romancier je complimente le journaliste ! Comment avez-vous fait pour arriver à cette certitude de forme etc, je retrouve là toute votre éloquence de conversation etc et pour finir "Poulet Malassis brûle de faire une brochure avec votre admirable article". Il ne borne pas sa reconnaissance à une lettre, il fait un article non signé dans la Revue anecdotique sur l'article de Ste Beuve : "Tout l'article est un chef d'œuvre de bonne humeur, de gaieté, de sagesse, de bon sens et d'ironie. Tous ceux qui ont l'

Cahier 7, fº 61 vº

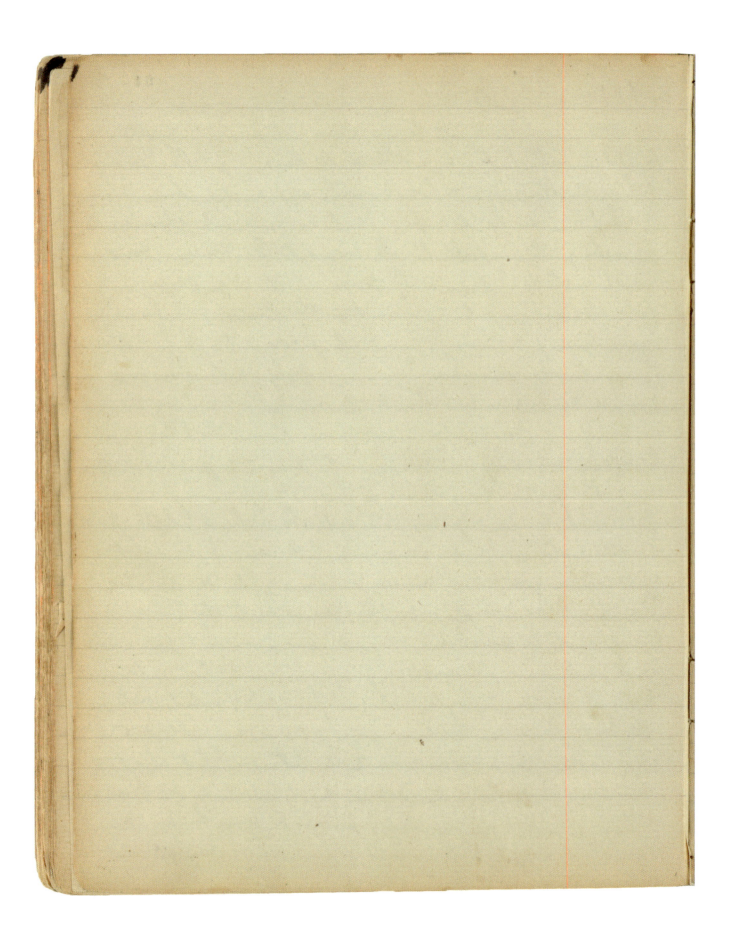

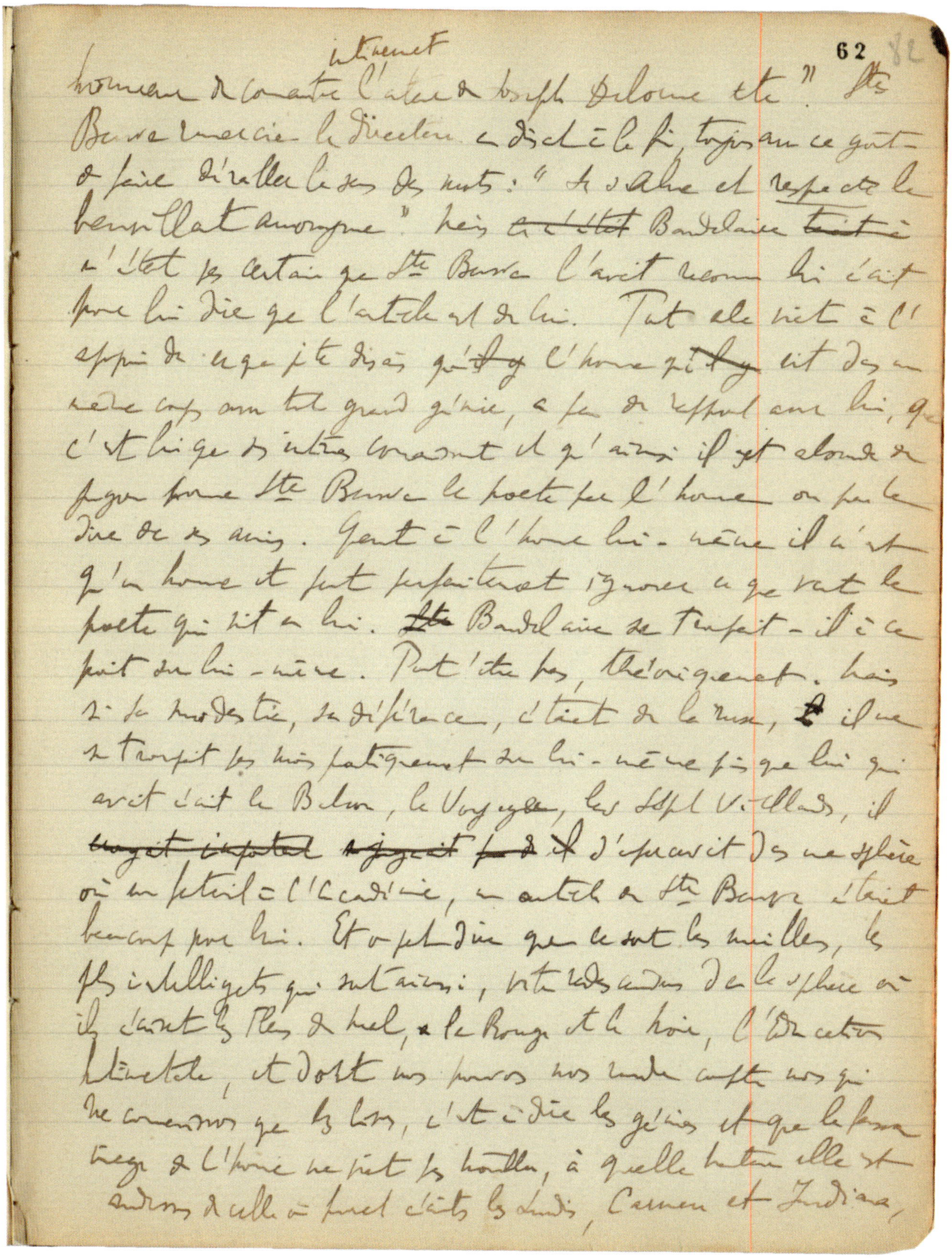

62

honneur de connaître intimement l'auteur de Joseph Delorme etc." Ste
Beuve remercie le Directeur en disant à lui, toujours avec ce goût
de faire dérailler le sens des mots : "Je salue et respecte le
bienveillant anonyme." Mais Baudelaire
n'était pas certain que Ste Beuve l'avait reconnu lui c'était
pour lui dire que l'article est de lui. Tout cela vient à l'
appui de ce que je te disais que l'homme qui vit dans un
même corps avec tout grand génie, a peu de rapport avec lui, que
c'est lui que ses intimes connaissent et qu'ainsi il est absurde de
juger comme Ste Beuve le poète par l'homme ou par le
dire de ses amis. Quant à l'homme lui-même il n'est
qu'un homme et peut parfaitement ignorer ce que veut le
poète qui vit en lui. Baudelaire se trompait-il à ce
point sur lui-même. Peut-être pas, théoriquement. Mais
si sa modestie, sa déférence, c'était de la ruse, il ne
se trompait pas moins pratiquement sur lui-même puisque lui qui
avait écrit le Balcon, le Voyage, les Petites Vieilles, il
s'épuisait dans une sphère
où un fauteuil à l'Académie, un article de Ste Beuve était
beaucoup pour lui. Et on peut dire que ce sont les meilleurs, les
plus intelligents qui sont ainsi ; vivant les uns dans la sphère où
ils écrivent les Fleurs du mal, le Rouge et le Noir, l'Éducation
sentimentale, et dont nous pouvons nous rendre compte nous qui
ne connaissons que les livres, c'est-à-dire les génies et que le personnage de l'homme ne peut pas troubler, à quelle hauteur elle est
au-dessus de celle où furent écrits les Lundis, Carmen et Indiana,

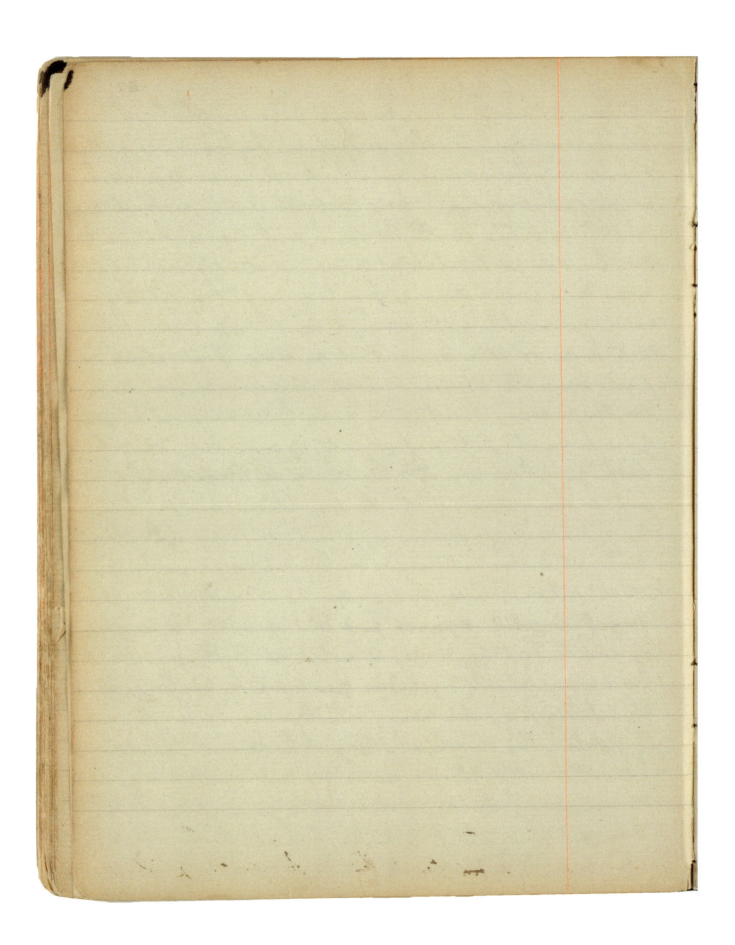

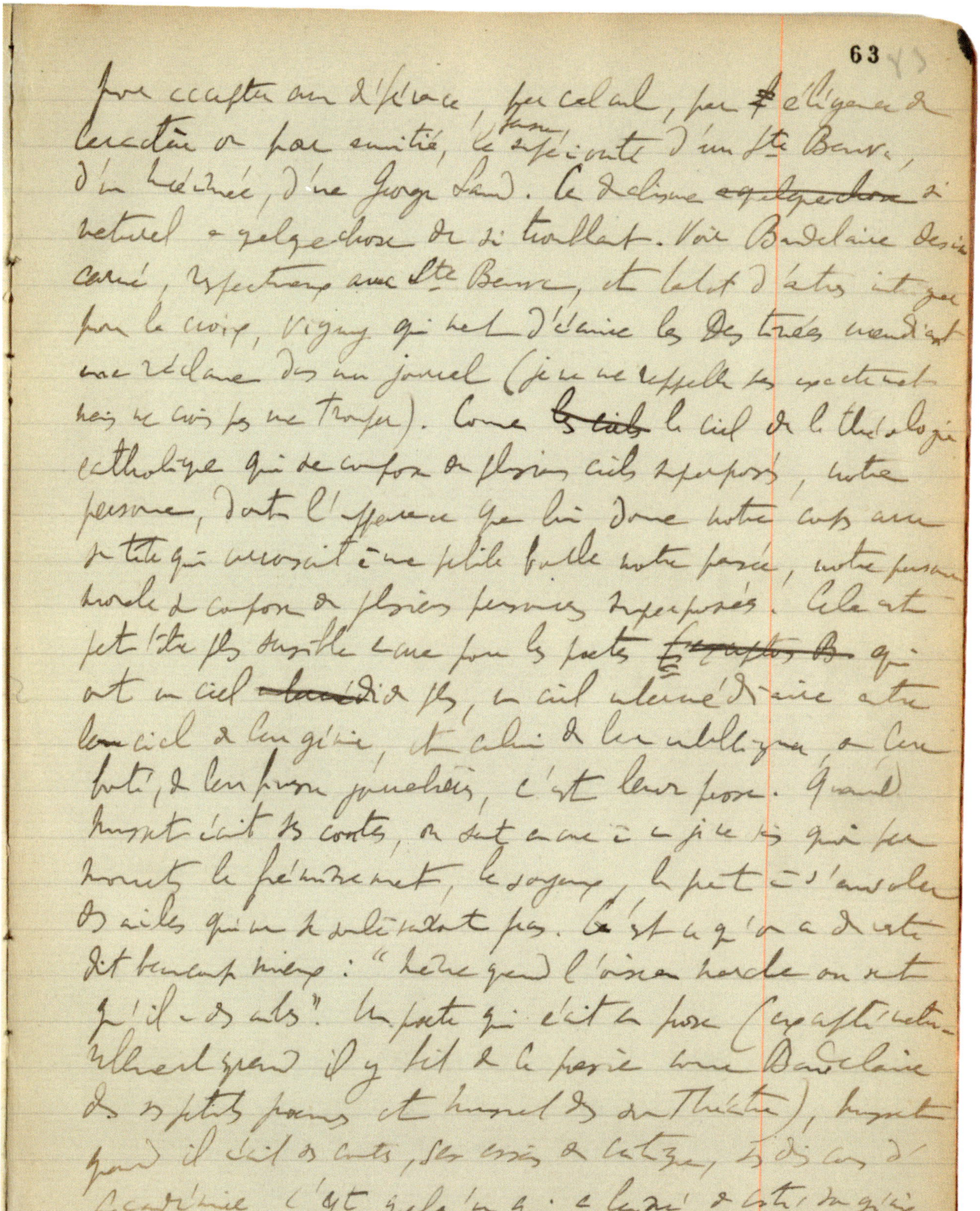

63

pour accepter avec déférence, par calcul, par ~~f~~ élégance de
caractère ou par amitié, la supériorité d'un Ste Beuve,
d'un Mérimée, d'une George Sand. Ce dualisme ~~a quelque chose~~ a
naturel et quelque chose de si troublant. Voir Baudelaire [illegible]
[illegible], respectueux avec Ste Beuve, et tantôt d'être intrigué
pour la croix, Vigny qui vient d'écrire les Destinées mendiant
une réclame dans un journal (je ne me rappelle pas exactement
mais ne crois pas me tromper). Comme ~~les ciels~~ le ciel de la théologie
catholique qui se compose de plusieurs ciels superposés, notre
personne, dont l'apparence que lui donne notre corps avec
sa tête qui circonscrit à une petite boule notre pensée, notre personne
morale se compose de plusieurs personnes superposées. Cela est
peut-être plus sensible encore pour les poètes ~~[illegible]~~ qui
ont un ciel ~~[illegible]~~ de plus, un ciel intermédiaire entre
leur ciel de leur génie, et celui de leur intelligence, de leur
bonté, de leur personne journalière, c'est leur prose. Quand
Musset écrit ses contes, on sent encore à un je ne sais quoi par
moments le frémissement, le soyeux, le prêt à s'envoler
des ailes qui ne se soulèveront pas. C'est ce qu'on a d'ailleurs
dit beaucoup mieux : « même quand l'oiseau marche on sent
qu'il a des ailes ». Un poète qui écrit en prose (excepté naturellement quand il y fait de la poésie comme Baudelaire
dans ses petits poèmes et Musset dans son Théâtre), Musset
quand il écrit ses contes, ses essais de critique, ses discours d'
Académie, c'est quelqu'un qui a laissé de côté son génie
qui a cessé de ~~[illegible]~~ tirer de lui ses formes ~~[illegible]~~ qu'il prend

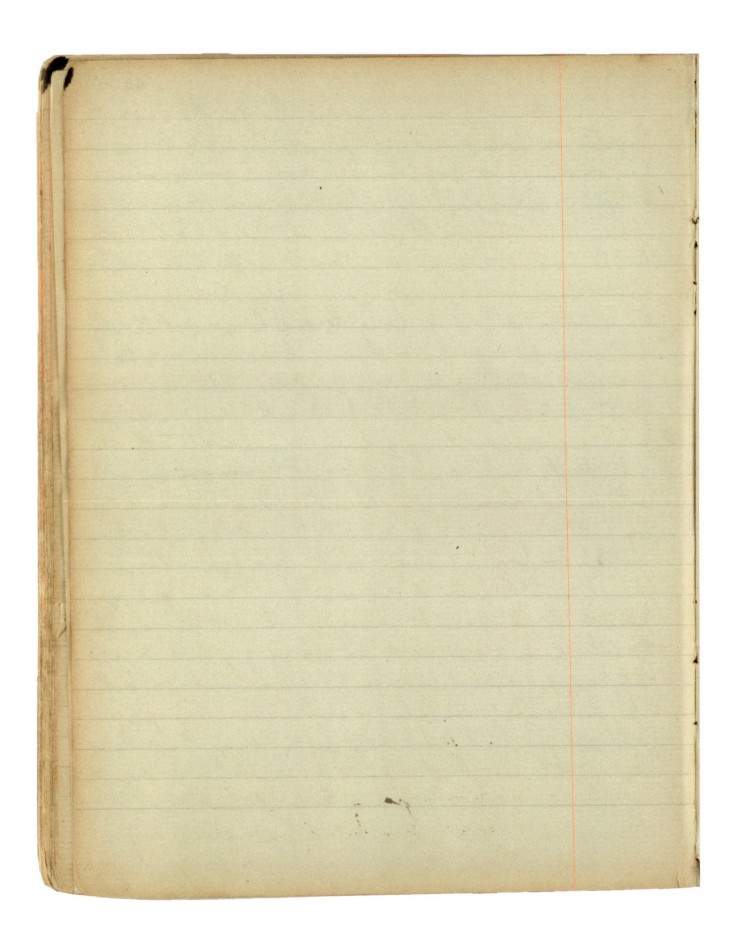

64

dans un monde surnaturel et exclusivement personnel à lui et qui portait d'a ressouvenir, nous a fait souvenir. Par moments à un ~~tou~~ développement, nous passons à des vers célèbres, merveilleux, clairs, mais dont la force, vague, indécise semble transparaître derrière des propos qui pourraient appartenir à tout le monde et leur donne une sorte de grâce, de majesté, d'émouvante allusion. Le poète a déjà fini mais derrière les nuages on aperçoit son reflet encore. Dans l'homme, dans l'homme de la vie, des dîners, de l'habitation, il ne reste pas rien, et c'est celui-là ~~que~~ que Ste Beuve prétend demander l'essence de l'autre dont il n'a rien gardé!

Je comprends que tu n'aimes que lui Baudelaire. ~~Et~~ Tu as trouvé dans ses lettres, comme dans celles de Stendhal des choses cruelles sur sa famille. Et cruel il l'est ~~tout plein~~ dans sa poésie, cruel avec infiniment de sensibilité, d'autant plus étonnant dans sa dureté que les souffrances qu'il raille, qu'il présente avec cette impassibilité on sent qu'il les a ressenties jusqu'au fond de ses nerfs. Il est certain que dans ~~un poème comme~~ poème sublime comme les Petites vieilles, il n'y a pas une de leurs souffrances qui lui échappent. Ce n'est pas seulement leurs immenses douleurs "ces yeux sont des puits faits d'un million de larmes" "Toutes auraient pu faire un fleuve avec leurs pleurs" il est dans leurs corps, il ~~sur~~ frémit avec leurs nerfs, il frissonne avec leur faiblesse "Flagellés par les bises iniques,

Frémissant au fracas roulant des omnibus,

Se traînent comme font les animaux blessés."

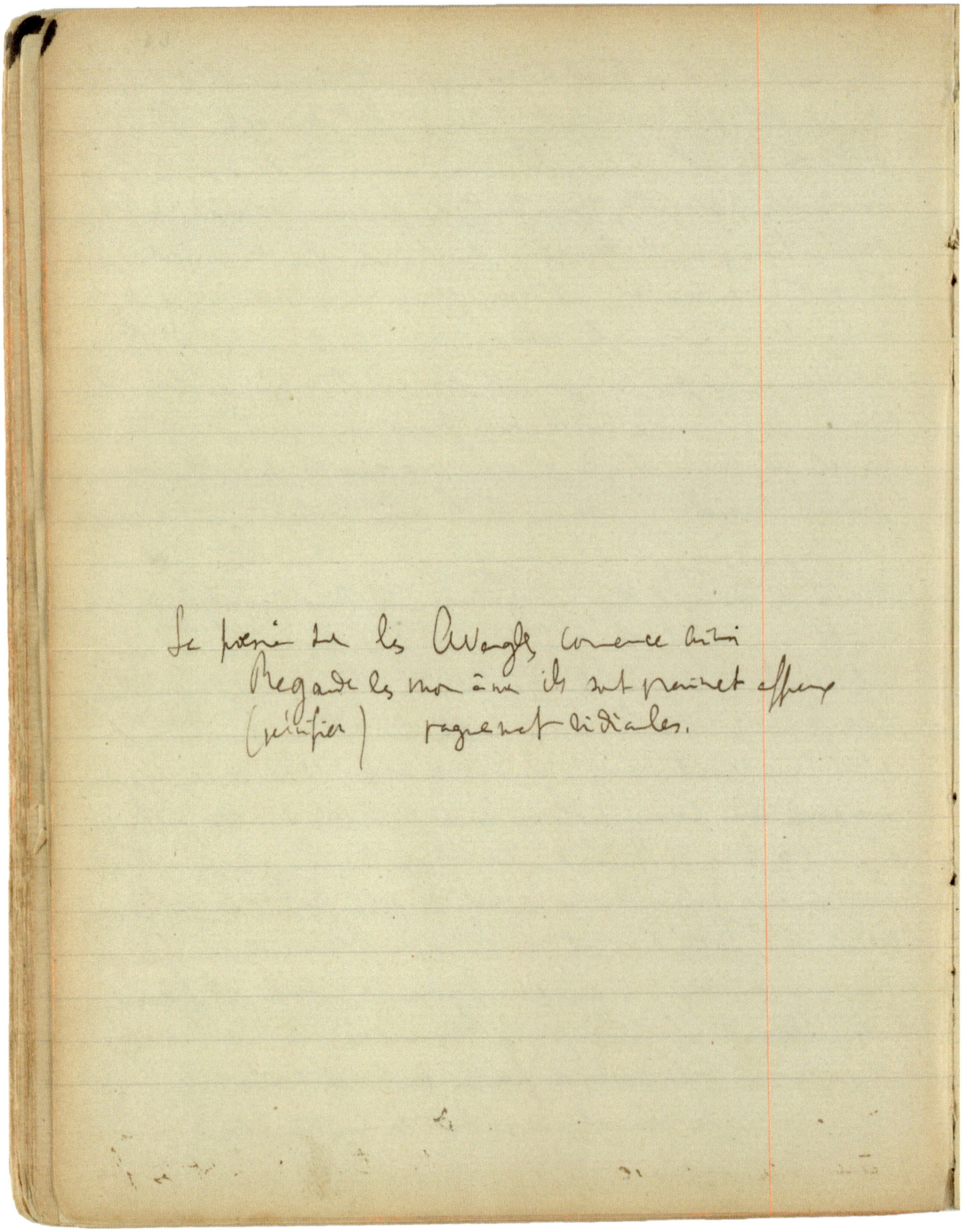

Le poème sur les Aveugles commence ainsi
Regarde les mon âme ils sont vraiment affreux
(vérifier) vaguement ridicules.

Mais la beauté exceptionnelle et architecturale du tableau ne le fit reculer devant aucun détail cruel.

"Et dansent sans vouloir danser, pauvres sonnettes"...
"Celle-là droite encor, fière et sentant la règle"
"~~Avez-vous observé~~
~~Et mais~~ Avez-vous observé que maints cercueils de vieilles
Sont presque aussi petits que celui d'un enfant
La mort savante met dans ces bières pareilles
Un symbole d'un goût bizarre et captivant.

...

A moins que méditant sur la géométrie
Je ne cherche à l'aspect de ces membres discords,
Combien de fois il faut que l'ouvrier varie
La forme de la boîte où l'on met tous ces corps.
Mais surtout.
"Mais moi, moi qui de loin tendrement vous surveille
L'œil inquiet fixé sur vos pas incertains
Tout comme si j'étais votre père, ô merveille,
Je goûte à votre insu des plaisirs clandestins

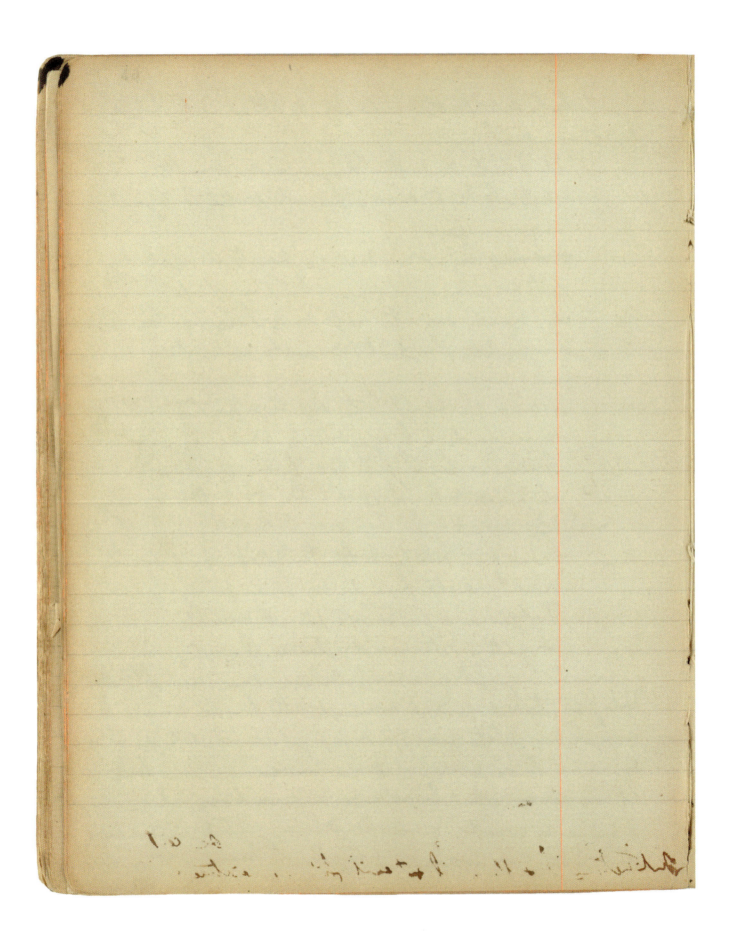

Et c'est ce qui fait qu'aimer Baudelaire, comme disait Ste-Beuve dont j'entends reprendre à mon compte cette formule comme j'en aurais été devant tenté pour ôter de ce projet d'article tout jeu d'esprit, mais ici ce n'est pas postiche, c'est une remarque que j'ai faite, où les noms ne servent à la mémoire qu'aux autres lettres, et qu'importe à moi en ce moment, aimer Baudelaire, j'entends l'aimer même à la folie en ces poèmes si pittoresques et humains, c'est pas forcé-

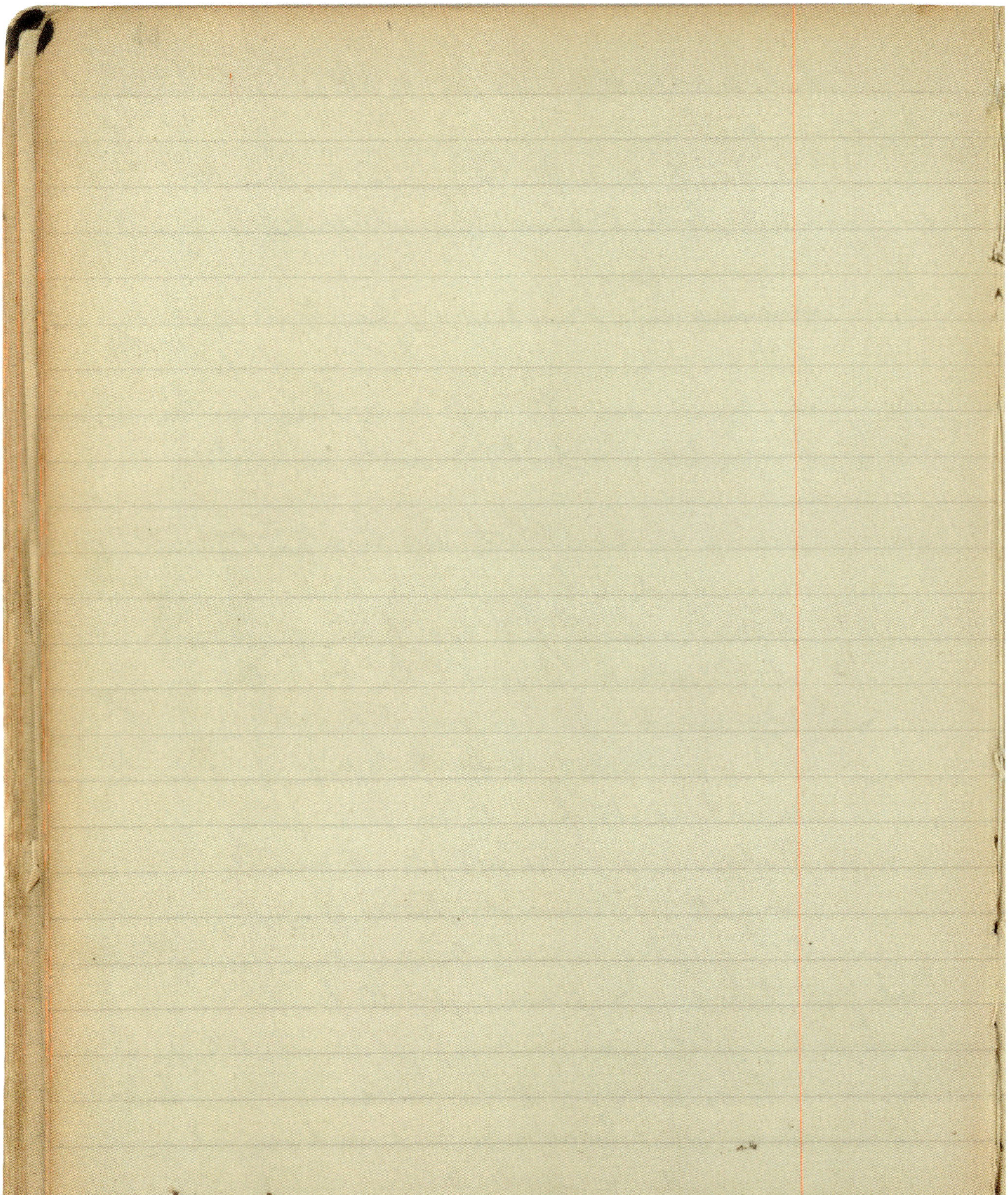

n'est digne d'une grande sensibilité. Il a donné à ces visions qui au fond
lui avaient fait mal je ne sais quoi, un tableau si puissant, mais d'où toute
expression de sensibilité est si absente que des esprits purement ironiques
et amoureux de couleur, des cœurs vraiment durs peuvent s'en délecter.
Le vers sur ces petites vieilles « Débris d'humanité pour l'éternité
mûrs » est un vers sublime et que de grands esprits, de grands cœurs
aiment à citer. Mais que de fois je l'ai entendu citer, et
pleinement goûté, par une femme d'un cœur bien intelligente,
mais la plus inhumaine, la plus dénuée de bonté et de moralité
que j'aie rencontrée, et qui s'amusait, le méchant et spirituel chef d'autres outrages, à lancer comme une prédiction
de mort prochaine, sur le passage de telles vieilles femmes qu'elle
détestait. Ressentir toutes les douleurs mais être assez maître de soi
pour ne pas se déplaire à les regarder, ~~tout à les~~ pouvoir supporter
la douleur qu'une méchanceté provoque artificiellement (même
~~des lignes délicieuses : le violon frémit~~ on oublie avec la
cruauté combien est cruel le vers délicieux : le violon frémit
comme un cœur qu'on afflige, ah ! le frémissement d'un
cœur à qui on fait mal, tout à l'heure c'était que le
frémissement des nerfs des vieilles femmes au passage roulant des
omnibus). Peut-être cette subordination de la sensibilité à la
~~expression~~ vérité, à l'expression, est-elle au fond une marque
de génie, de la force, de l'art supérieur à la pitié individuelle.
Mais il y a plus étrange que cela dans le cas de Baudelaire.
Dans les plus sublimes expressions qu'il a données de certains
sentiments, il semble qu'il ait fait une peinture extérieure

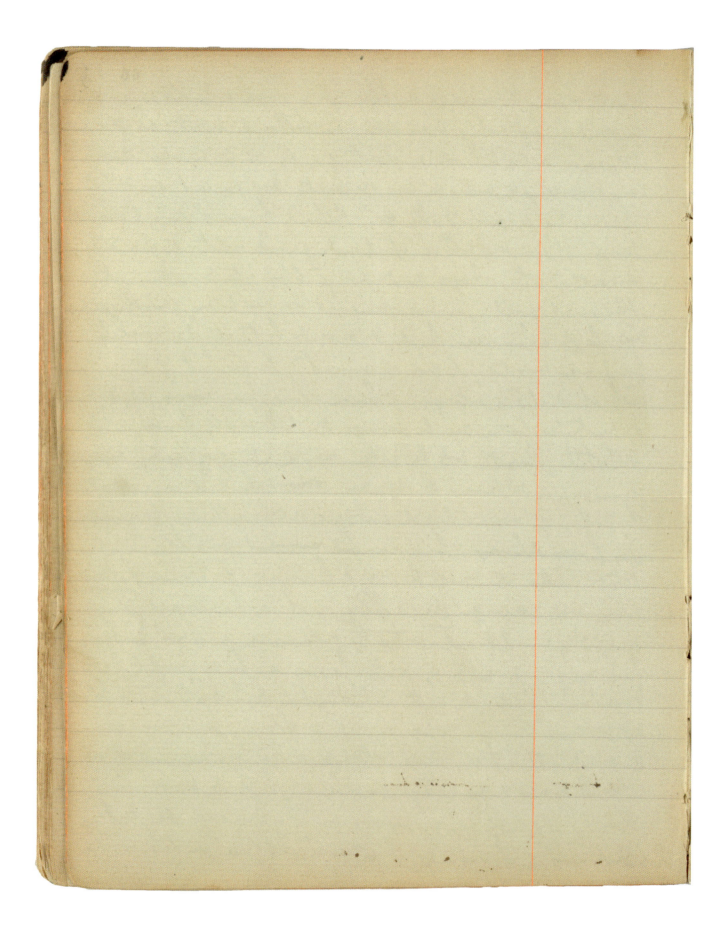

67

de leur forme, ses sympathies avec lui. Un des plus admirables
vers sur la charité, un de ses vers immenses et dérobés où
Baudelaire est celui-ci

Pour que tu puisses faire à Jésus quand il passe
Un tapis triomphal avec ta charité.

Mais y a-t-il eu moins de charité que (totalement mis à part cela ne
fait rien que le sentiment où cela est dit

"Un ange furieux fond du ciel comme un aigle
Du mécréant saisit à plein poing les cheveux
Et dit le secouant : "Tu connaîtras la règle !
(Car je suis ton bon ange, entends-tu ?) Je le veux !
Sache qu'il faut aimer sans faire la grimace
Le pauvre, le méchant, le tortu, l'hébété,
Pour que tu puisses faire à Jésus quand il passe
Un tapis triomphal avec ta charité."

Certes il comprend tout ce qu'il y a dans toutes ces vieilles, mais il semble
en retenir l'essence de ces vies. C'est bien tout le dévouement
ce qu'il y a dans ces vies de petites vieilles

Toutes m'enivrent ; mais parmi ces êtres frêles
Il en est qui faisant de la douleur un miel
Ont dit au dévouement qui leur prêtait ses ailes
"Hippogriffe puissant, mène-moi jusqu'au ciel !"

Il semble qu'il caractérise par la force extraordinaire, inouïe
Ont vraie c'est très expression ~~du sentiment qu'il s'efforce de ne pas~~
plus fort, malgré tout ce qu'on dit, que celle
d'Hugo) du sentiment qu'il s'efforce de ne pas ressentir au moment
où il le nomme, où il le peint, plutôt qu'il ne l'exprime

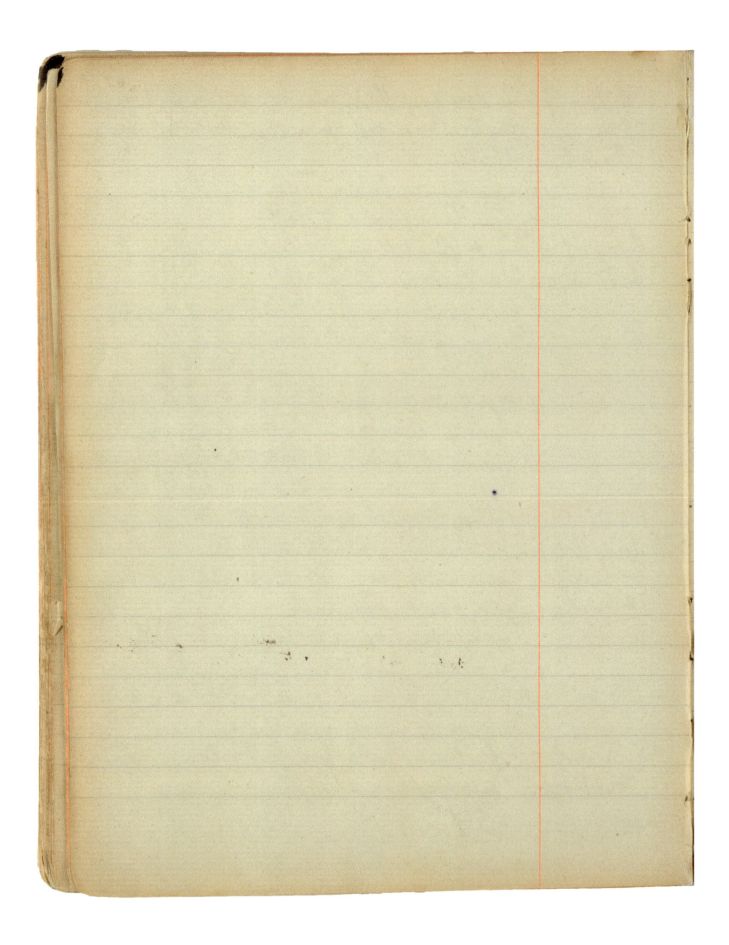

68 88

Il trouve pour tous les douleurs, pour tous les drames, des formes inouïes, tirées de son monde spirituel à lui et qui ne se trouveront jamais dans aucun autre, formes d'une planète où lui seul a habité, et qui ne ressemblent à rien de ce que nous connaissons, à chaque ~~tu~~ catégorie de personnes, il pose ~~comme~~ tous chauds et doux, pleins de liqueur et de parfum, ~~une~~ une de ces grandes formes, de ces sacs qui pourraient contenir une bouteille, ou un jambon, mais s'il le dit avec des lèvres hurlantes avec la tendresse, on dirait qu'il s'efforce de ne le dire qu'avec les lèvres, quoique on sente qu'il a tout ressenti, tout compris, qu'il est la plus frémissante sensibilité, la plus profonde intelligence.

L'une par sa patrie au mal humain exercée,
L'autre que son époux surchargea de douleurs
L'autre par son enfant Madone transpercée
Toutes auraient pu faire un fleuve avec leurs pleurs.

Exercée est admirable, surchargea est admirable, transpercée est admirable, X mais a-t-il l'air de "compatir", ~~et~~ d'être dans ces cœurs. X Chacun pour sur l'idée une de ces belles formes sombres, éclatantes, mouvementées

L'une par sa patrie au mal humain exercée.

De ces belles formes d'art, inventées par lui dont jamais ne parlaient et qui portent leurs grandes formes chaleureuses et colorées sur les ~~faits~~ ~~choses~~ faits qu'il énumère, un certain nombre en effet sont des formes d'art faisant allusion à la patrie des anciens.

L'une par sa patrie au mal humain exercée
Les uns joyeux de fuir une patrie infâme

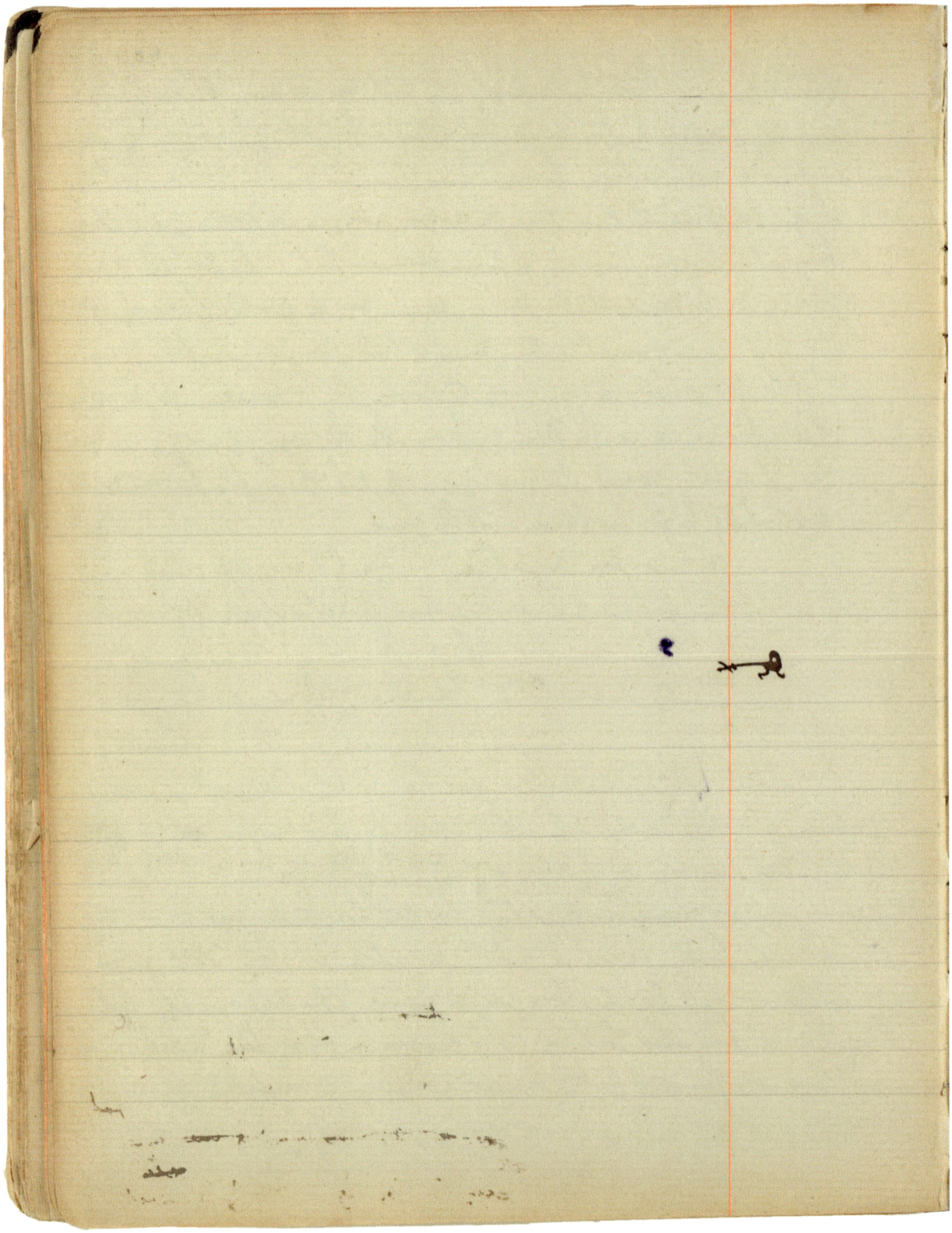

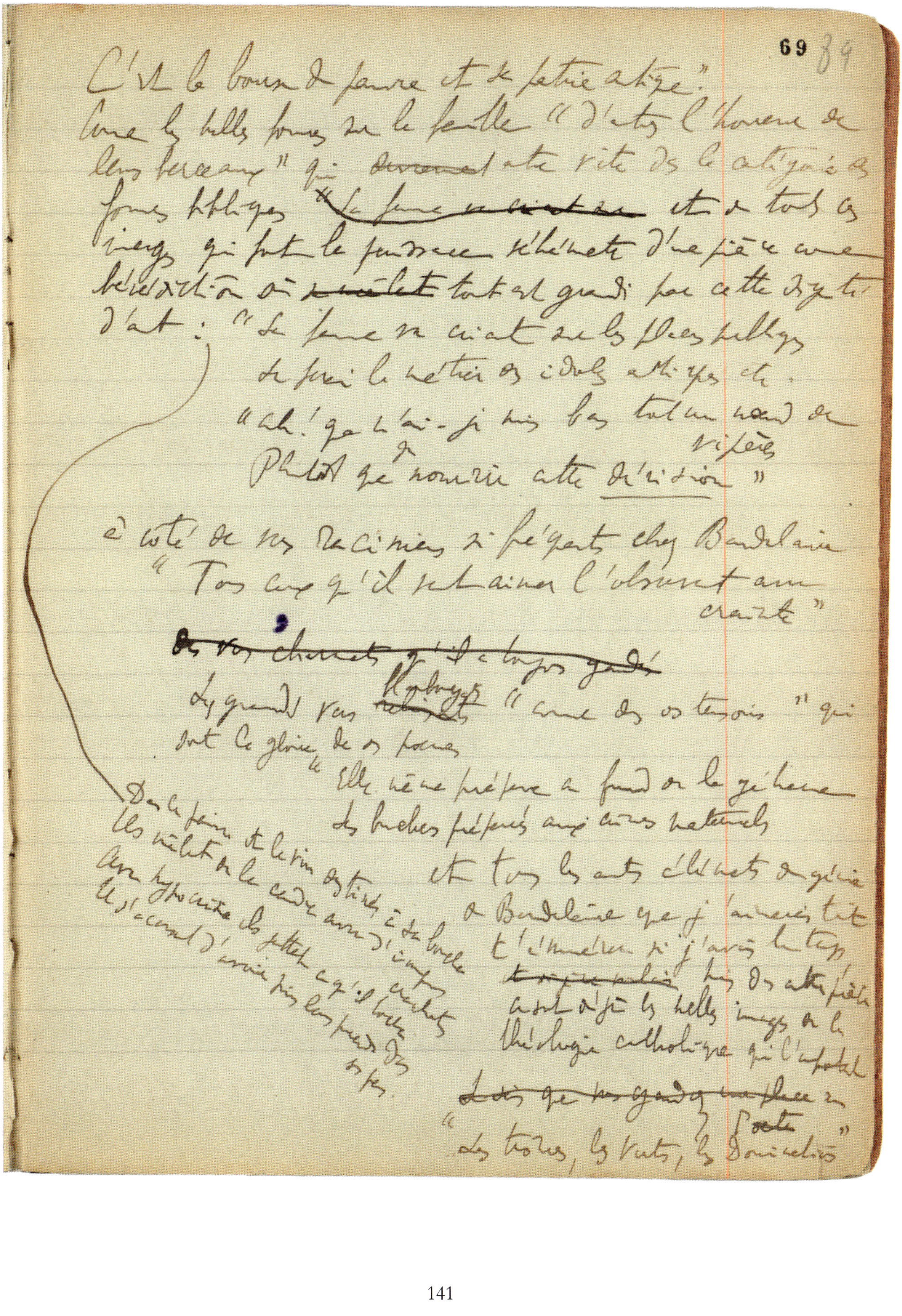
69
C'est le bourg de pauvre et de petite antique".
Comme les belles formes sur la feuille "d'être l'horreur de
leurs berceaux" qui ont été vite dans la catégorie des
formes bibliques et de toutes ces
images qui portent la grandeur d'une pièce comme
Bénédiction où tout est grandi par cette dignité
d'art : "La femme va criant sur les places publiques
de faire le métier des idoles antiques etc.
"Ah ! que n'ai-je mis bas tout un nœud de vipères
Plutôt que de nourrir cette dérision"
à côté de ses raccourcis frappants chez Baudelaire
"Tous ceux qu'il veut aimer l'observent avec crainte"
Les grands vers théologiques "comme des ostensoirs" qui
sont la gloire de ses poèmes
"Elle-même prépare au fond de la géhenne
Les bûchers consacrés aux crimes maternels
et tous les autres éléments de génie
de Baudelaire que j'aimerais tant
t'énumérer si j'avais le temps
tous des autres poètes
les belles images de la
théologie catholique qu'il emportait
"les trônes, les vertus, les dominations"
Dans le pain et le vin destinés à sa bouche
Ils mêlent de la cendre avec d'impurs crachats
Avec hypocrisie ils jettent ce qu'il touche
Et s'accusent d'avoir mis leurs pieds dans ses pas.

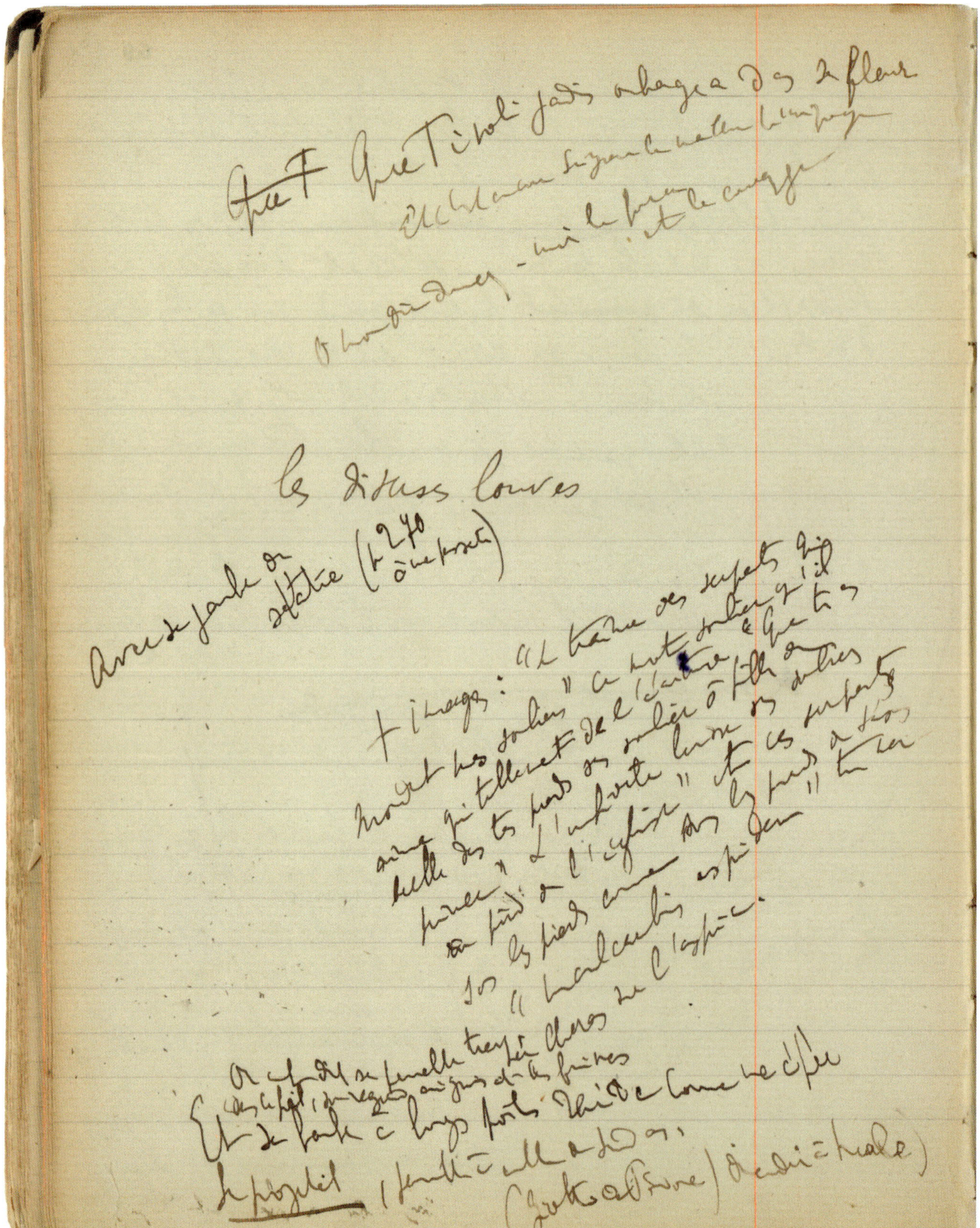

70 90

Je dis que la douleur est la noblesse unique
Où ne mordront jamais la terre et les enfers
Et qu'il faut pour tresser ma couronne mystique
Imposer tous les temps et tous les univers

(Images celles-là pas ironiques de la douleur comme étaient celles du dévouement et de la charité que j'ai citées, mais encore bien impossibles, plus telles de forme, d'allusion à des œuvres d'art du moyen âge catholique, plus littérale qu'étonne."

~~Les sentiers.~~

Je ne parle pas des pièces sur la Madone; puisque là c'est précisément le parti de prendre toutes ces formes catholiques. Mais surtout ces merveilleuses pièces que tu connais, en négligeant celles qui sont trop connues (et qui sont peut-être les plus essentielles) ~~[illegible]~~ il me semble que je pourrais commencer ~~à~~ pièce par pièce, à te développer le monde de la pensée de Baudelaire, ce pays de son génie, dont chaque poème n'est qu'un fragment et qui dès qu'on le lit se rejoint aux autres fragments que nous en connaissons, comme, ~~[illegible]~~ dans un salon, dans un cadre que nous n'y avions pas encore vu, certaine montagne antique où le soir rougeoie et où passe un poète à figure de femme suivi de muses, et c'est à dire un tableau où la vie antique comme d'une façon emportée naturelle, des muses étant des personnes qui ont existé, qui se promenaient le soir à deux ou à trois avec un poète etc., tout cela dans un moment, à une certaine heure, dans l'éphémère qui ~~[illegible]~~ donne quelque chose de réel à la légende immortelle, nous sentons un fragment du pays

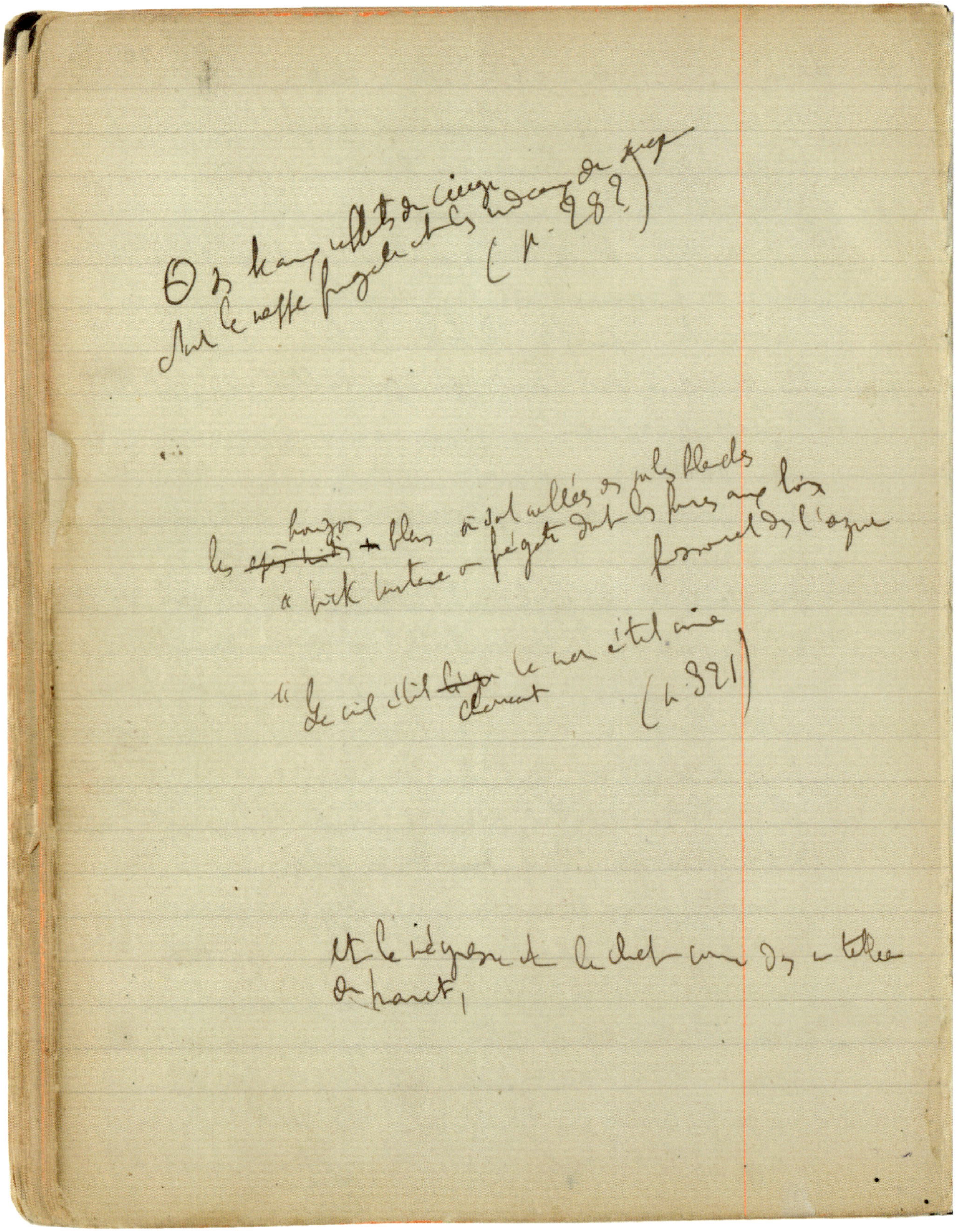

71 91

de Gustave Moreau. Pour cela il lui faudrait tous ces ports, [un port rempli de voiles et de mâts] non pas seulement ceux où des vaisseaux nageant dans l'or et dans la moire ouvrent leurs vastes bras pour embrasser la gloire d'un ciel pur où frémit l'éternelle chaleur", mais ceux qui ne sont que des portiques "que les soleils marins teignaient de mille feux", "le portique ouvert sur des cieux inconnus". Les cocotiers d'Afrique aperçus pâles ~~[illegible]~~ [avec des fantômes] [des cocotiers absents de la superbe Afrique]

"Derrière la muraille immense du brouillard"

"Des cocotiers absents les fantômes épars".

~~Ces soirs~~ Les soirs, dès qu'ils s'allument, et [illegible] sur la nappe de la mer (d'un port) jusqu'à l'heure où il est "~~rose~~ fait de rose et de bleu mystique", le vin, non pas seulement dans tous les pichets où il est chanté depuis le moment où il naît "sur la colline en flammes" jusqu'au moment où la chaude poitrine du travailleur lui est une douce tombe" mais partout où lui, est toute élixir, toute végétale ambroisie (une autre de ses personnelles et délicieuses préparations) il entre secrètement dans la fabrication de l'image même quand il dit de la mort qu'elle "nous monte et nous ~~fait vivre~~ [enivre]" Et nous donne le cœur de marcher jusqu'au soir".

Et avec ces ~~de~~ restes de musique qui y traînent ~~et qui~~ toujours chez lui ~~et qui~~ et lui ont permis de créer l'orchestration la plus délicieuse peut-être depuis la symphonie héroïque de Beethoven

"Ces concerts riches de cuivre
Dont nos soldats parfois inondent nos jardins
Et qui par ces soirs d'or où l'on se sent revivre
Versent quelque héroïsme au cœur des citadins."

"Et le vin de la trompette est si délicieux
Dans ces soirs de célestes vendanges.

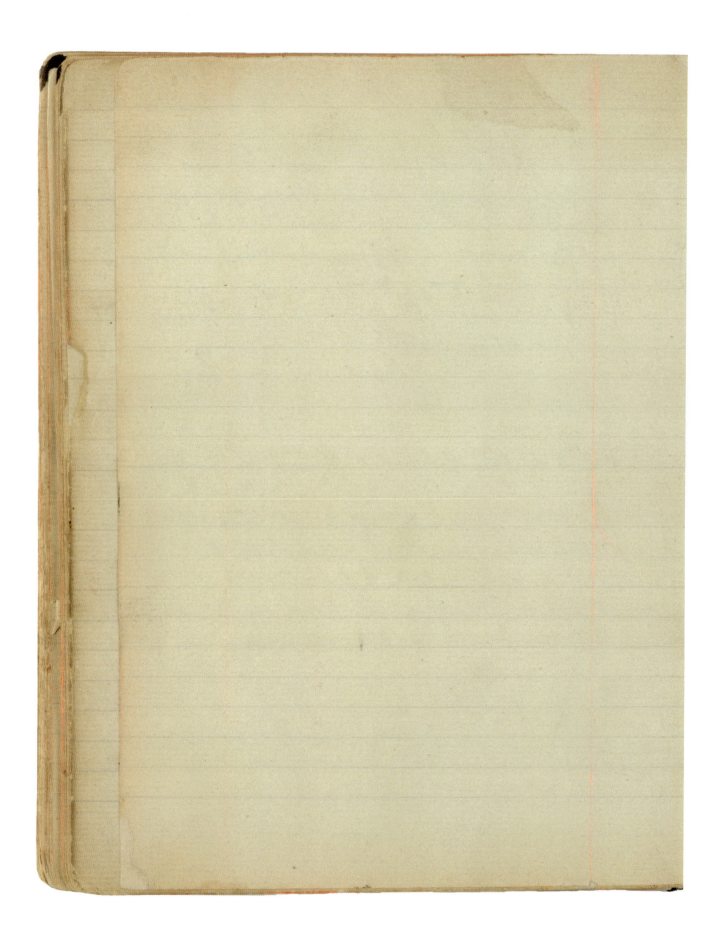

Cahier 7, feuille de garde recto

Cahier 7, contre-plat supérieur

Cahier 7, plat supérieur

Table des matières

Note des éditeurs	P.	V
Description matérielle du Cahier 7	P.	VI
Présentation du fac-similé	P.	VIII
Fac-similé	P.	1